CE LIVRE

APPARTIENT À :

....

....

LE GRAND LIVRE DE BEATRIX POTTER

« … juste de quoi faire des étoles et des rubans pour
les souris ! Servez-vous, petites souris ! » *Le tailleur de Gloucester*

Le grand livre
de Beatrix Potter

*L'intégrale
des 23 contes classiques
de Beatrix Potter*

GALLIMARD JEUNESSE

Traduction de Laurence Model pour
L'aventure de Monsieur Tod

Traduction de Michel Beauvais pour
Le pâté à la souris, Samuel le Moustachu, Gingembre et Girofle,
Rebondi Cochonnet, Les comptines de Pom Pommette,
Les comptines de Cécile Persil, Petit cochon Robinson,
Le vieux chat sournois, Le renard et la cigogne, Le Noël des lapins,
et tous les textes d'introduction

Maquette : Laure Massin

ISBN : 978-2-07-061068-6
Titre original : *The Complete Tales*
Publié pour la première fois par Frederick Warne en 1989
Édition révisée publiée en 2002
Nouvelle édition publiée en 2006
© Frederick Warne & Co. 1989, 2002
© Frederick Warne & Co. 2002, pour les nouvelles reproductions
des illustrations de Beatrix Potter
© Frederick Warne & Co. 1902, 1903, 1904, 1905, 1906, 1907, 1908, 1909, 1910,
1911, 1912, 1913, 1917, 1918, 1922, 1930, 1955, 1987, 1997, pour le texte et les illustrations
© Gallimard Jeunesse 1980, 1982, 1996, 2007, pour la traduction française
© Gallimard Jeunesse 2007, pour la présente édition
Loi n° 49-956 du 16 juillet 1949 sur les publications destinées à la jeunesse
Numéro d'édition : 156800
Dépôt légal : mars 2008
Premier dépôt légal : avril 2007

Les illustrations de la page 399 sont reproduites avec l'aimable autorisation
du Boston Museum of Fine Art.

Site Internet : www.pierrelapin.com.fr

Imprimé à Singapour

SOMMAIRE

À PROPOS
DE BEATRIX POTTER

Beatrix Potter est née à Londres en 1866, et elle a eu l'enfance conventionnelle et protégée d'une fille de l'époque victorienne, dans une belle et riche demeure bourgeoise. Son unique frère, Bertram, avait six ans de moins qu'elle ; lorsqu'il était à l'école, les seuls compagnons de la petite fille étaient ses animaux, hébergés dans sa salle d'étude. Elle aimait les observer et les dessiner. Chaque été, son père louait une maison de campagne pour trois mois, d'abord en Écosse puis dans la région anglaise des Lacs. Durant ces longues vacances, Beatrix et Bertram pouvaient explorer la campagne et observer à loisir les plantes et les animaux.

Beatrix Potter a commencé sa carrière d'auteur et d'illustratrice de livres pour enfants avec la publication de *Pierre Lapin*, d'abord à compte d'auteur, puis par les éditions Frederick Warne, en 1902. Le public a tout de suite été conquis et Beatrix a sorti en moyenne deux livres par an, jusqu'en 1910. L'argent qu'elle a ainsi gagné lui a permis d'acquérir une certaine indépendance – autonomie bien peu conventionnelle à l'époque ! En 1905, bien qu'elle vive encore avec sa mère et son père, elle a acheté sa première propriété dans la région des Lacs, la ferme de Hill Top, dans le village de Near Sawrey. Les bâtiments et la campagne alentour sont bientôt apparus dans ses histoires et quelques-unes de ses illustrations préférées montrent des scènes de cette contrée, pratiquement inchangées de nos jours. Malheureusement, la même année, son éditeur Norman Warne est décédé quelques semaines seulement après leurs fiançailles.

En 1913, à l'âge de 47 ans, Beatrix épousa William Heelis, son notaire, et s'établit à Sawrey de manière permanente. L'écriture et le dessin ont peu à peu cédé la première place, dans sa vie, aux travaux de la ferme, à l'élevage des moutons et à l'achat de terres, dans le but de préserver des sites et des paysages. À sa mort, en 1943, elle a fait don à la nation britannique de plus de 1 600 hectares et d'une quinzaine de fermes.

PIERRE LAPIN

1902

À PROPOS
DE CETTE HISTOIRE

L'ébauche de l'histoire du petit garnement Pierre Lapin dans le jardin de Monsieur MacGregor se trouve dans une lettre illustrée écrite par Beatrix Potter en 1893 à Noel Moore, le jeune fils de son ancienne préceptrice. Encouragée par la publication et le succès de quelques cartes de vœux, Beatrix s'en est souvenue sept ans plus tard et l'a développée dans un petit livre, avec des illustrations en noir et blanc. Il a été refusé par plusieurs éditeurs et Beatrix l'a fait imprimer elle-même, pour sa famille et ses amis.

À cette époque, Frederick Warne a accepté de publier l'histoire si l'auteur ajoutait des illustrations en couleurs, et le livre est finalement sorti en 1902, au prix de un shilling. Ce fut un succès immédiat, qui ne s'est pas démenti depuis. Cette histoire soutenue, avec une poursuite haletante et une fin heureuse, et ses délicieuses illustrations, est définitivement devenue un grand classique de la littérature pour la jeunesse.

Il était une fois quatre
petits lapins qui s'appelaient
Flopsaut,
Trotsaut,
Queue-de-Coton
et Pierre.
Ils habitaient avec leur mère
sur un banc de sable à l'abri
des racines d'un grand sapin.

« Mes enfants, dit un jour
Madame Lapin, vous pouvez
vous promener dans les champs
ou le long du chemin,
mais n'allez pas dans le jardin
de Monsieur MacGregor. »

« Votre père a eu un accident
là-bas, Madame MacGregor
en a fait un pâté. »

« Allez vous amuser,
mais ne faites pas de bêtises.
Je vais faire des courses. »

Madame Lapin prit son panier
et son parapluie et s'en alla,
à travers bois, chez le boulanger.
Elle acheta une miche de pain bis
et cinq petits pains aux raisins.

Flopsaut, Trotsaut et Queue-
de-Coton, qui étaient de bons
petits lapins, descendirent
le long du chemin pour cueillir
des mûres.

Mais Pierre qui était
très désobéissant courut
tout droit au jardin
de Monsieur MacGregor

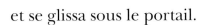

et se glissa sous le portail.

Tout d'abord, il mangea des
laitues puis des haricots verts
et enfin des radis.

Alors, ne se sentant pas
très bien, il chercha du persil.

Mais, au détour d'une serre
où poussaient des concombres,
il tomba sur Monsieur MacGregor.

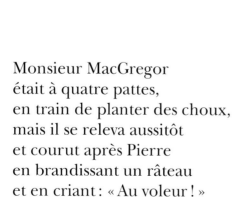

Monsieur MacGregor
était à quatre pattes,
en train de planter des choux,
mais il se releva aussitôt
et courut après Pierre
en brandissant un râteau
et en criant : « Au voleur ! »

Pierre était terrifié. Il courut
en tous sens dans le jardin,
car il ne retrouvait plus
le chemin de la sortie.
Il perdit une de ses chaussures
parmi les choux et l'autre
parmi les pommes de terre.

Après avoir perdu ses chaussures,
il se mit à courir à quatre pattes.

Il courait de plus en plus vite
et je crois qu'il aurait réussi
à s'enfuir s'il ne s'était pas pris
les pattes dans le filet
qui protégeait les groseilliers.
Les boutons de sa veste
s'accrochèrent dans les mailles
et il ne pouvait plus
s'en dépêtrer. C'était une veste
toute neuve avec des boutons
en cuivre.

Pierre se crut perdu et
il versa de grosses larmes.
Mais des moineaux, entendant
ses sanglots, vinrent se poser
auprès de lui et le supplièrent
de se ressaisir.

Monsieur MacGregor surgit.
Il tenait à la main un tamis
pour capturer Pierre. Mais
celui-ci parvint à se dégager
juste à temps, abandonnant
sa veste derrière lui.

Alors il se précipita dans
la cabane à outils et sauta
dans un arrosoir. L'arrosoir
aurait été une très bonne cachette
s'il n'avait pas été plein d'eau.

Monsieur MacGregor était sûr
que le lapin se cachait dans
la cabane à outils, peut-être
sous un pot de fleurs renversé.
Il retourna tous les pots
de fleurs et regarda
sous chacun d'eux.
Un instant plus tard,
Pierre éternua : « Atchoum ! »
Monsieur MacGregor
se précipita sur lui.

Il essaya de poser son pied
sur le lapin mais Pierre sauta
par une fenêtre, renversant
au passage trois pots de fleurs.
La fenêtre était trop petite
pour Monsieur MacGregor et,
d'ailleurs, il était fatigué
de courir après Pierre.
Aussi retourna-t-il travailler
dans son jardin.

Pierre s'assit pour
se reposer. Il était hors
d'haleine et tremblait
de peur. Il n'avait pas
la moindre idée
du chemin à prendre
pour rentrer chez lui.
Et, en plus, il était
tout mouillé à cause
de l'arrosoir.

Peu après, il commença
à explorer les environs,
à petits pas, regardant
tout autour de lui.
Il trouva une porte dans
un mur. Mais elle était fermée
et il n'y avait pas moyen
pour un petit lapin dodu
de se glisser dessous.

Une vieille souris allait et venait
sur le pas de la porte emportant
des pois et des haricots pour nourrir
sa famille qui habitait dans le bois.
Pierre lui demanda le chemin
à prendre pour rejoindre le portail,
mais elle avait un si gros pois
dans la bouche qu'elle
ne pouvait pas lui répondre.
Elle se contenta de le regarder
en hochant la tête.
Pierre se mit à pleurer.
Puis il essaya de retrouver
son chemin en parcourant le jardin
mais il était de plus en plus perdu.

Bientôt, il arriva près
d'un bassin où Monsieur
MacGregor avait l'habitude
de remplir ses arrosoirs.
Un chat blanc observait
attentivement des poissons
dorés. Il était assis, tout à fait
immobile, mais de temps
en temps le bout de sa queue
remuait. Pierre estima
plus prudent de passer
son chemin sans parler
au chat. Son cousin Jeannot
l'avait mis en garde
contre les chats.

Pierre revint vers la cabane
à outils et soudain, tout près
de lui, il entendit le bruit
d'une binette raclant la terre,
cric, cric, cric... Pierre
se cacha sous un buisson.

Mais bientôt, ne voyant rien venir,
il reparut, grimpa dans une brouette
et observa ce qui se passait.
Il vit d'abord Monsieur MacGregor
qui sarclait les oignons. Il tournait
le dos à Pierre et là-bas, au fond,
il y avait le portail.

Pierre descendit de la brouette
le plus silencieusement possible,
puis il se mit à courir aussi vite
qu'il le put le long d'une allée
derrière les groseilliers.
Monsieur MacGregor l'aperçut
au coin de l'allée, mais Pierre
ne s'en soucia guère. Il se glissa
sous le portail et parvint
à s'échapper dans les bois.

Monsieur MacGregor se servit
de la veste et des chaussures
de Pierre pour fabriquer
un épouvantail et faire peur
aux corbeaux.

Pierre courut sans s'arrêter
ni même jeter un coup d'œil
derrière lui jusqu'au grand sapin
où il habitait.

Il était si fatigué qu'il se laissa
tomber sur le sable douillet
qui recouvrait le sol du terrier
et ferma les yeux. Sa mère était
en train de faire la cuisine.
Elle se demanda ce que Pierre
avait fait de ses vêtements. C'était
la deuxième veste et la deuxième
paire de chaussures qu'il perdait
en quinze jours !

Je dois vous dire que Pierre
ne se sentit pas très bien
pendant toute la soirée.
Sa mère le mit au lit,
lui prépara une infusion
de camomille et lui en fit
boire une bonne dose !
C'était comme un
médicament : une cuillerée
à soupe le soir avant
de se coucher !

Flopsaut, Trotsaut
et Queue-de-Coton,
en revanche, eurent du pain,
du lait et des mûres pour
leur dîner.

FIN

Noisette l'écureuil

1903

À PROPOS
DE CETTE HISTOIRE

En 1901, Beatrix a passé l'été avec sa famille à Lingholm, une demeure se trouvant sur la rive du lac Derwentwater, dans la région des Lacs. Elle y a écrit une lettre, à propos des écureuils de l'endroit, à Norah Moore, fille de son ancienne préceptrice : « Une vieille femme qui vit sur l'île m'a dit qu'à son avis, ils traversent le lac quand ses noix sont mûres ; mais je me demande comment ils font ! Peut-être construisent-ils de petits radeaux ! » Elle lui parle ensuite de l'histoire de Noisette l'écureuil, le petit insolent qui sera finalement puni par le vieux Brun, un hibou que Beatrix substituera à la vieille femme de sa lettre.

En fin de compte, le livre sera dédicacé à Norah. Il contient de fort jolis dessins du superbe lac Derwentwater, pratiquement inchangé de nos jours.

C'ÉTAIT UN PETIT ÉCUREUIL
qui s'appelait Noisette
et dont la longue
queue touffue s'ornait
d'un panache de fourrure
rousse et brillante.
Il avait un frère qui
se nommait Groseille
et beaucoup de cousins.
Tous habitaient dans
un bois, au bord d'un lac.

Au milieu du lac,
il y avait une île
couverte d'arbres
et de noisetiers. Parmi
ces arbres se dressait
un chêne creux : c'était
la maison d'un hibou
qui s'appelait le vieux
Brun.

L'automne venait d'arriver.
Les noisettes étaient mûres
et les feuilles des arbres
commençaient à prendre
des teintes mordorées.
Noisette, Groseille
et tous les autres écureuils
sortirent du bois et
gagnèrent la rive du lac.

Ils construisirent
de petits radeaux
à l'aide de branchages
et se rendirent sur l'île
du vieux hibou pour
y ramasser des noisettes.
Chaque écureuil avait
emporté avec lui un petit
sac et une grande rame.
Déployant la longue
fourrure de leurs queues,
ils s'en servirent comme
de voiles.

Ils avaient également emporté
trois souris bien dodues
qu'ils offrirent en cadeau
au vieux Brun, en les déposant
devant sa porte. Le hibou
se montra et Groseille, imité
par tous les autres écureuils,
s'inclina devant lui.
« Monsieur Brun, dit-il, nous
sommes venus vous demander
la permission de ramasser
des noisettes sur votre île. »

Tout le monde s'était montré
fort courtois, à l'exception
de Noisette qui s'était mis
à sautiller comme une cerise
au bout d'une branche agitée
par le vent. Et il chantait :

Monsieur vieux Brun
Devinez bien
Qui est-ce qui est tout rond
Avec un manteau rouge et un bâton
Avec dans la gorge un caillou
Dites-le-nous
Et vous aurez trois sous !

C'était une vieille devinette
que tous les écureuils
connaissaient. Le hibou, lui,
ne prêta aucune attention
aux extravagances de Noisette.
Il ferma les yeux
et s'en alla dormir.

Les écureuils remplirent leurs sacs de noisettes
et rentrèrent chez eux à la nuit tombée.

Le lendemain de bonne heure,
ils revinrent tous sur l'île
du vieux hibou. Cette fois,
ils lui avaient apporté
une taupe qu'ils déposèrent
sur une pierre, devant
sa maison.
« Monsieur Brun, dit Groseille,
nous permettrez-vous
aujourd'hui encore
de ramasser quelques
noisettes ? »
Mais Noisette qui n'était
décidément pas très
respectueux recommença

à danser et à sautiller.
Il chatouillait le vieux
Brun avec une feuille
d'ortie tout en chantant :

> *Monsieur vieux Brun*
> *Devinez bien*
> *Pique et pique dans le mur*
> *Pique et pique sur le mur.*
> *Si vous touchez pique et pique*
> *Pique et pique vous mordra,*
> *Pique et pique vous croquera.*

Le vieux Brun s'éveilla
en sursaut et emporta
la taupe chez lui.

Il avait fermé la porte au nez
de Noisette. Bientôt, un filet
de fumée bleue s'éleva
au sommet du vieil arbre.
Noisette regarda par le trou
de la serrure et se remit
à chanter :

> *Il y en a plein la maison,*
> *dans les trous, il y en a plein.*
> *Mais d'en remplir un bol*
> *il n'y a pas moyen.*

Les écureuils étaient partis
ramasser des noisettes
dont ils emplirent
leurs petits sacs.
Noisette, lui, ramassa
les glands du vieux chêne
et, s'asseyant sur
une souche, joua
aux billes devant la porte
du vieux Brun.

Le troisième jour,
les écureuils se levèrent
à l'aube et partirent pêcher.
Ils attrapèrent quelques
vairons pour le hibou.
Puis ils reprirent leurs
radeaux et abordèrent
dans l'île du vieux hibou
à l'ombre d'un marronnier
aux branches tordues.

Groseille et six autres petits
écureuils portaient chacun
un poisson bien gras. Mais
Noisette, lui, ne portait rien
du tout. Il courait devant
les autres en chantant :

> *Un homme des bois*
> *m'a demandé gaiement :*
> *Combien y a-t-il de fraises*
> *dans l'océan ?*
> *Je lui ai répondu :*
> *il y en a autant*
> *Que dans les bois*
> *il y a de harengs.*

Mais le vieux hibou ne
s'intéressait pas du tout
aux devinettes, même quand
on lui en donnait la réponse.

Le quatrième jour,
les écureuils apportèrent
au hibou six gros hannetons
aussi succulents que
les cerises d'un clafoutis.
Ils les avaient enveloppés
dans des feuilles d'oseille
attachées avec des aiguilles
de pin. Noisette, toujours
aussi impertinent,
recommença à chanter :

Monsieur vieux Brun,
Devinez bien,
Froment d'Angleterre et cerises d'Italie
Se sont rencontrés sous la pluie
Et se sont mariés aussitôt
Dans un moule à gâteau.
Que sont-ils devenus ? Dites-le-moi
Et à trois sous vous aurez droit.

Noisette aurait été
bien embêté si le hibou
lui avait donné la réponse,
car il n'avait pas
les trois sous promis.
Les écureuils s'en allèrent
cueillir des noisettes
mais Noisette, lui, ramassa
les fruits d'un églantier
et y piqua des aiguilles
de pin.

Le cinquième jour,
les écureuils apportèrent
au hibou du miel sauvage.
Le miel était délicieux
et les écureuils
s'en léchèrent les doigts.
Ils avaient été le voler
aux abeilles d'une ruche
qui se trouvait tout
au sommet de la colline.
Quand ils arrivèrent
devant la maison
du hibou, Noisette
recommença à sautiller
et à chanter :

En revenant à la maison
J'ai rencontré des petits cochons.
Ils étaient jaunes, rayés de noir
Comme des zèbres ; j'ai pu les voir,
Chargés de miel, qui s'en allaient
Sur le chemin, tout guillerets.

Le vieux Brun considéra
Noisette avec mépris,
puis il détourna la tête.
Mais il mangea le miel !

Les écureuils remplirent
leurs petits sacs de noisettes.
Mais Noisette, au lieu
de les aider, s'assit sur
un gros rocher plat et joua
aux quilles avec une pomme
sauvage et des pommes
de pin vertes.

Le sixième jour qui était un samedi, les écureuils revinrent sur l'île pour la dernière fois. Ils apportèrent au hibou un œuf tout frais dans un petit panier d'osier.

Comme d'habitude,
Noisette courait devant eux
en riant et en chantant :

Un vieux hibou sur un mur
Qui picorait du pain dur
Tomba du mur en s'endormant
Parmi les roseaux d'un étang
Et le hibou mouillé, trempé,
Se réveilla tout déplumé.

Lorsqu'il vit le bel œuf
que les écureuils lui avaient
apporté, le vieux Brun
ouvrit un œil et le referma.
Cette fois encore, il resta
silencieux.

Noisette devint de plus
en plus insolent :

> *Monsieur vieux Brun !*
> *Monsieur vieux Brun !*
> *J'ai frappé à la porte du roi.*
> *Et ni ses gardes, ni ses soldats,*
> *Ni ses pages, ni ses valets*
> *N'ont pu me chasser du palais.*

Noisette dansait en sautillant
comme un rayon de soleil,
mais le vieux Brun ne disait
pas un mot.

Alors, Noisette
recommença :

Arthur a déployé sa bande,
Il rugit sur la lande.
Mais le roi d'Écosse avec
*   toute son armée*
Ne peut pas vaincre Arthur
*   le révolté.*

Noisette siffla pour imiter
le bruit du vent, puis il prit
son élan et sauta sur la tête
du vieux Brun !...
Il y eut alors une grande
confusion, des battements
d'aile, des coups de bec
et un grand cri.

Les écureuils s'enfuirent
dans les buissons alentour.
Lorsqu'ils revinrent
à pas prudents, ils virent
le vieux hibou assis sur le pas
de sa porte. Il avait retrouvé
son calme et fermé les yeux
comme si rien ne s'était passé.

Mais Noisette était dans
la poche de son gilet.

On pourrait croire
que l'histoire de Noisette
finit là, mais il n'en
est rien.

Le vieux Brun emporta
Noisette dans sa maison
et le pendit par la queue
avec la très ferme
intention de l'écorcher
vif. Mais l'écureuil
se débattit avec tant
de vigueur que sa queue
se cassa en deux.
Il bondit alors dans
l'escalier et s'échappa
par la fenêtre du grenier.

Et depuis ce jour, si jamais vous rencontrez Noisette et que vous
lui posez une devinette, il vous lance des branches d'arbre, se met
à trépigner, à grogner et à crier et les poils de ce qui lui reste
de queue se hérissent aussitôt.

FIN

LE TAILLEUR
DE GLOUCESTER

1903

À PROPOS
DE CETTE HISTOIRE

Pour Beatrix Potter, *Le tailleur de Gloucester* était l'une de ses meilleures œuvres. Elle avait entendu la véritable histoire, sur laquelle elle est basée, lors d'une visite à sa cousine, Caroline Hutton, qui vivait près de Gloucester. Ayant laissé dans son échoppe un gilet non terminé, destiné au maire de Gloucester, un samedi matin, un tailleur est surpris de le trouver le lundi complètement achevé, à l'exception d'une boutonnière, pour laquelle il n'y avait « plus de fil ». Dans la réalité, le travail avait été exécuté par les deux assistants du tailleur mais, chez Beatrix Potter, ce sont de petites souris qui s'en chargent. Le fait que la scène se déroule la veille de Noël, le soir où les animaux peuvent parler, ajoute une note de merveilleux et donne l'occasion de citer de nombreuses comptines traditionnelles. Le livre est dédicacé à un autre des enfants Moore, Freda : « parce que tu aimes tant les contes de fées et que tu as été malade ».

Au temps des épées, des perruques et des longues redingotes ornées de rubans, au temps où les gentilshommes portaient des jabots de dentelle et des gilets de soie passementée d'or, en ce temps-là, dis-je, il y avait dans la ville de Gloucester un tailleur.

Du matin au soir, il restait assis sur une longue table, jambes croisées, devant la fenêtre de son atelier.

Tout au long du jour, tant qu'il y avait de la lumière, il coupait et cousait ses étoffes de satin, de pompadour ou de lustrine. Les tissus avaient des noms étranges en ce temps-là et ils coûtaient très cher.

Mais bien qu'il confectionnât de beaux habits de soie pour de riches clients, lui-même était très pauvre. C'était un petit homme âgé, aux doigts noueux, le visage maigre, portant lunettes et toujours vêtu d'un vieil habit usé jusqu'à la corde.

Il coupait ses étoffes au plus près, sans rien en perdre. Il ne restait sur sa table que de toutes petites chutes « de tout petits morceaux, tout petits, tout juste bons à faire des gilets pour les souris », avait-il coutume de dire.

Un jour de grand froid, aux alentours de Noël, le tailleur reçut commande d'un habit – un bel habit de soie couleur cerise, brodé de pensées et de roses avec gilet assorti de satin crème orné de gaze et de chenilles vertes – et cet habit était destiné au maire de Gloucester.

Tout le jour, sans relâche, le tailleur travailla. Il mesurait la soie, la tournait, la retournait et la coupait avec ses grands ciseaux. La table était couverte de petits morceaux de soie couleur cerise.

« Tout petits et coupés en biais. Tout petits petits, juste de quoi faire des étoles et des rubans pour les souris ! Servez-vous, petites souris ! » marmonnait le tailleur de Gloucester.

La neige vint à tomber et se colla contre les vitres de la fenêtre. La lumière déclinait et le petit tailleur

avait fini son travail de la journée. La soie et le satin étaient disposés sur la table, bien coupés, prêts à être assemblés.

Il y avait douze coupons pour l'habit et quatre pour le gilet. Le tailleur avait également préparé les revers de poche, les manchettes et les boutons et tout était soigneusement rangé sur la table. Il y avait du taffetas jaune pour la doublure de l'habit et du fil de soie rouge pour les boutonnières du gilet. Il ne restait plus qu'à coudre tout cela dès le lendemain. Tout était fin prêt, et seule manquait une bobine de fil de soie couleur cerise pour la dernière boutonnière.

Le tailleur sortit de son échoppe à la tombée du jour, ferma soigneusement portes et fenêtres, et rangea la clé dans sa poche. La nuit, il n'y avait personne dans son atelier sauf

quelques souris qui n'avaient pas besoin de clés pour aller où bon leur semblait.

Car, dans toutes les vieilles maisons de la ville de Gloucester, il y avait derrière les boiseries de petits escaliers, des trappes minuscules et d'étroits passages que les souris empruntaient tout à loisir. Elles pouvaient ainsi parcourir toute la ville, de maison en maison, sans avoir jamais à mettre le nez dehors.

Le tailleur, donc, s'en retournait chez lui, marchant à petits pas dans la neige épaisse. Il n'habitait pas très loin de son atelier, dans une petite rue proche du collège. Mais il était si pauvre qu'il louait seulement la cuisine de la maison où il vivait.

Il habitait là tout seul avec pour toute compagnie son chat, un matou nommé Simon.

Tout au long de la journée, tandis que son maître était au travail, Simon gardait la maison. Lui aussi aimait les souris, mais il ne leur offrait jamais de satin pour se vêtir !

« Miaou, miaula le chat lorsque le tailleur ouvrit la porte.

– Simon, répondit le tailleur, nous serons bientôt riches mais, pour l'instant, je suis épuisé. Prends ces quatre sous, Simon – ce sont mes derniers – et un pot de faïence puis va acheter pour un sou de pain, du lait pour un autre sou, avec le troisième sou des saucisses, et avec le

dernier sou, Simon, tu m'achèteras une petite bobine de fil de soie couleur cerise. Surtout, ne perds pas le dernier sou, Simon, autrement je suis perdu, car je n'ai PLUS ASSEZ DE FIL. »

Simon miaula une nouvelle fois puis, prenant les quatre sous et le pot, il sortit et disparut dans la nuit.

Le tailleur était exténué et ne se sentait pas bien. Il s'assit près de l'âtre et se mit à parler tout seul de l'habit magnifique qu'il était en train de faire.

« Je vais être riche, disait-il, le maire de la ville se marie le jour de

Noël et il m'a commandé un habit et un gilet brodé – qui sera doublé de taffetas jaune – j'ai juste assez de taffetas. Il n'en reste que de toutes petites chutes juste bonnes pour faire des gilets de souris. »

Le tailleur s'interrompit car il entendit soudain une série de petits bruits de l'autre côté de la cuisine.

« Tip tap tip tap tip tap… »

« Qu'est-ce que cela peut être ? » se demanda-t-il. Le buffet était encombré d'assiettes et de pots en faïence, de tasses et de gobelets.

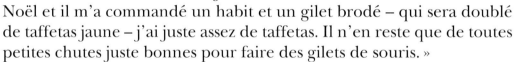

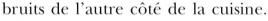

Le tailleur traversa la cuisine et debout devant le buffet, attentif au moindre bruit, il se pencha et observa la vaisselle à travers ses besicles. Alors, les mêmes petits bruits se firent à nouveau entendre. Ils provenaient, semblait-il, d'une tasse à thé.

« Tip tap tip tap tip tap… »

« Voilà qui est étrange », dit le tailleur. Il souleva la tasse, qui était posée à l'envers.

Une jolie petite souris apparut qui fit une révérence au tailleur. Puis elle sauta du buffet et s'enfuit derrière les boiseries.

Le tailleur retourna s'asseoir auprès du feu pour réchauffer ses mains glacées. Il grommelait dans sa barbe.

« J'ai choisi pour le gilet un riche satin couleur pêche et j'y ai brodé des boutons de roses dans le plus beau des fils de soie… Ai-je bien fait de confier mes quatre derniers sous à Simon ?… Vingt et une boutonnières brodées de soie rouge cerise… »

Soudain, il fut interrompu par d'autres petits bruits en provenance du buffet. *« Tip tap tip tap tip tap… »*

« Voilà qui est extraordinaire », dit le tailleur. Et il retourna une autre tasse à thé. Une élégante petite souris en redingote en sortit et fit également une révérence. Puis, de tout le buffet, s'éleva un véritable concert de petits bruits qui se répondaient les uns aux autres. *« Tip tap tip tap tip tap… »* Alors, de chaque tasse, de chaque bol, de chaque écuelle sortirent d'autres petites souris qui sautèrent du buffet et disparurent derrière les boiseries.

Le tailleur revint s'asseoir devant le feu et commença à se lamenter.

« Vingt et une boutonnières brodées de soie rouge cerise qu'il faut avoir fini de coudre samedi à midi, et nous sommes mardi soir.

« Ai-je eu raison de laisser fuir toutes ces souris ? C'est sûrement Simon qui les avait enfermées là... Hélas, je suis perdu, je n'ai plus de fil de soie couleur cerise. »

Les petites souris étaient revenues. Elles écoutèrent les plaintes du tailleur après l'avoir entendu décrire l'habit magnifique destiné au maire. En chuchotant, elles parlèrent de la doublure de taffetas et des petites chutes que le tailleur laissait aux souris.

Puis, toutes ensemble, elles s'engouffrèrent dans le passage dissimulé derrière les boiseries. Elles poussaient de petits cris et s'appelaient les unes les autres, courant de maison en maison.

Il n'y avait plus une seule souris dans la cuisine du tailleur lorsque Simon revint avec son pot de lait.

Dès qu'il eut ouvert la porte, le chat bondit à l'intérieur en grondant :

« Miaou... Grrr... Miaou... »

Il était de fort mauvaise humeur, car il détestait la neige et de la neige il en avait dans les oreilles et dans le cou. Il déposa les saucisses et la miche de pain sur le buffet et se mit à renifler.

« Simon, dit le tailleur, où est mon fil de soie ? »

Mais Simon, sans répondre, posa le pot de lait sur le buffet et regarda les tasses d'un air soupçonneux. Il avait bien l'intention de s'offrir une bonne souris bien grasse pour son souper.

« Simon, répéta le tailleur, où est mon fil de soie ? »

Simon ne répondit toujours pas. Il cacha discrètement un petit paquet dans une théière puis se mit à cracher et à gronder en regardant son maître. S'il avait pu parler, sans doute aurait-il demandé : « Où sont mes souris ? »

« Hélas, je suis perdu, dit le tailleur », et il alla se coucher, tristement.

Pendant toute la nuit, Simon fouilla partout dans la cuisine, inspectant les placards, les boiseries et même la théière où il avait caché le fil de soie. Mais nulle part il ne trouva la moindre souris.

Et chaque fois que le tailleur parlait ou marmonnait dans son sommeil, Simon grondait, comme ont l'habitude de le faire les chats la nuit.

Le vieux tailleur, en fait, était très malade. Il avait la fièvre, s'agitait et se retournait dans son lit, grommelant sans cesse : « Il me manque une bobine, plus de fil de soie... »

Le lendemain, il fut malade toute la journée et le resta les deux jours suivants. Et l'habit rouge cerise ? Qu'allait-il devenir ? Dans l'atelier du tailleur, la soie brodée et le satin étaient toujours posés sur la table,

soigneusement taillés. Qui donc viendrait les coudre ensemble ? Qui donc broderait les vingt et une boutonnières ? Personne ne pouvait entrer, les fenêtres étaient barrées et la porte, verrouillée.

Mais ni portes ni fenêtres ne pouvaient empêcher les petites souris d'entrer. Elles allaient partout à leur gré dans toute la ville de Gloucester sans jamais avoir besoin de clés.

Dans les rues enneigées, les habitants de Gloucester faisaient leurs courses et achetaient des dindes et des oies pour le réveillon de Noël.

Mais, pour Simon et le vieux tailleur, il n'y aurait pas de réveillon.

Le tailleur resta malade pendant trois jours et trois nuits. Puis vint la veille de Noël. La lune s'éleva dans le ciel noir. Il n'y avait plus aucune

lumière aux fenêtres, plus aucun bruit dans les maisons. Toute la ville dormait profondément sous la neige.

Quant à Simon, il réclamait toujours ses souris, miaulant près du lit de son maître.

Tout le monde sait que les animaux ont la faculté de parler une fois l'an, dans la nuit qui précède Noël, bien qu'il y ait très peu de gens qui puissent les entendre ou comprendre ce qu'ils disent.

Ainsi quand l'horloge de la cathédrale eut sonné les douze

coups de minuit, il y eut comme un écho à son carillon. Simon l'entendit et sortit de la maison, malgré la neige.

De tous les toits, de toutes les maisons de la ville lui parvinrent alors des milliers de voix qui chantaient de vieux chants de Noël.

Les coqs furent les premiers à chanter :

Debout, Mesdames,
Il est temps de préparer vos gâteaux !

« Oh, mon Dieu, mon Dieu », soupirait Simon.

Dans un grenier brillaient des lumières et l'on entendait les échos d'une musique de danse. Des chats apparurent sur le toit.

Et hop ! Dansons, dansons,
Les chats et les violons !

« Tous les chats de la ville s'amusent sauf moi », gémit Simon.

Sur les gouttières, les moineaux et les sansonnets chantaient. Les corneilles s'éveillaient dans la tour de la cathédrale. Et, bien qu'on fût en pleine nuit, les grives et les rouges-gorges se mettaient à chanter aussi. Par toute la ville on entendait des cantiques et des airs de musique.

Mais pour le pauvre Simon, de plus en plus affamé, toute cette joie était bien pénible à entendre.

Il était particulièrement agacé par certaines petites voix aiguës qui appartenaient probablement à des chauves-souris. Elles ont toujours la voix haut perchée, surtout quand il fait froid.

Simon les entendait prononcer des paroles mystérieuses :

Bzz, dit la mouche bleue,
hummmm, répond l'abeille,
Bzzz, hummmm, disent-elles
et nous disons pareil.

Le chat du tailleur s'éloigna en secouant ses oreilles comme s'il avait eu une abeille dans la tête.

Lorsqu'il vint à passer devant l'échoppe de son maître, Simon vit un rayon de lumière. Intrigué, il s'approcha silencieusement et regarda par la fenêtre. Dans tout l'atelier, des chandelles avaient été allumées. On entendait des bruits ténus de ciseaux et d'aiguilles et des voix de souris qui chantaient haut et gai :

Vingt-quatre tailleurs costauds
Avaient pris un escargot,
Mais le plus fort d'entre eux
N'osa pas lui toucher la queue,
Car il sortait ses cornes, mon vieux
Comme un taureau furieux.
Courez, tailleurs, courez,
Il va vous attraper !

Leur chanson à peine terminée, les petites souris en chantèrent une nouvelle.

Passe au crible la farine
Pour qu'elle soit bien fine.
Mets-la dans un marron
Et ajoute un oignon...

« Miaou, miaou ! »

Simon les interrompit de ses miaulements et gratta à la porte. Mais la clé était sous l'oreiller du tailleur et il ne pouvait entrer.

Les petites souris se contentèrent de rire et chantèrent une autre chanson.

> *Trois petites souris coupaient, cousaient,*
> *Elles virent un chat qui les épiait.*
> *Que faites-vous là ? leur dit le chat.*
> *Nous faisons un habit d'apparat.*
> *Puis-je venir pour vous aider ?*
> *Sûrement pas, vous nous mangeriez.*

Simon, dépité, miaulait de plus belle.

« Holà, mignon minet ! » s'écrièrent les souris.

> *Holà ! mignon minet,*
> *Petit chat charmant.*
> *À Londres les marchands*
> *S'habillent en rouge vif,*
> *Col de soie, ourlet d'or,*
> *Ils sont tous cousus d'or.*

Elles frappaient la cadence avec leurs dés à coudre. Simon détestait leurs chansons. Il miaulait et reniflait sous la porte.

> *Au marché*
> *J'ai acheté*
> *Un pain de mie*

Et un balai
Un pot de lait
Et un radis
Le tout pour trois sous et demi !

Simon grattait le rebord de la fenêtre pour essayer d'entrer. Les souris faisaient des bonds et toutes se mirent à scander de leurs voix aiguës : « Plus de fil de soie ! Plus de fil de soie ! »

Puis elles fermèrent les volets de la fenêtre au nez de Simon.

Le chat renonça à entrer dans l'échoppe et s'en revint à la maison, l'air pensif. Il y trouva le tailleur qui n'avait plus de fièvre et dormait paisiblement.

Alors Simon, sur la pointe des pieds, alla chercher le petit paquet contenant la bobine de fil de soie rouge cerise qu'il avait dissimulé dans la théière et le contempla à la lueur du clair de lune. Il se sentit honteux d'avoir ainsi caché le fil de soie alors que les petites souris, elles, avaient travaillé d'arrache-pied pour aider le tailleur.

Lorsque celui-ci s'éveilla, le lendemain matin, la première chose qu'il vit sur son couvre-lit, ce fut la bobine de fil rouge cerise. Simon, tout repentant, se tenait près de son maître.

« Hélas, je suis très fatigué, dit le tailleur, mais, au moins, j'ai mon fil de soie. »

Le soleil brillait sur la neige lorsque le tailleur se leva et s'habilla. Il sortit dans la rue, précédé de Simon.

Des sansonnets sifflotaient, perchés sur le rebord des cheminées, les rouges-gorges et les grives chantaient, mais c'étaient leurs chants habituels qu'on entendait, pas les cantiques de la nuit précédente.

« Hélas, hélas, gémit le tailleur, j'ai le fil de soie, mais j'ai tout juste la force et le temps de coudre une seule boutonnière. Car c'est Noël aujourd'hui. Le maire se marie à midi et son bel habit rouge cerise n'est pas prêt. »

Il ouvrit la porte de son atelier et Simon se rua à l'intérieur. Mais l'échoppe était vide à présent, il n'y avait plus la moindre souris.

L'atelier en revanche avait été nettoyé et il n'y avait plus de bouts de fil ni de chutes de tissu sur le sol.

Et sur la longue table – quel cri de joie poussa le tailleur ! – là où il avait laissé les coupons d'étoffe, reposait maintenant le plus bel habit et le plus élégant gilet de satin brodé qu'un maire de Gloucester eût jamais portés.

Les revers de l'habit étaient ornés de roses et de pensées et le gilet de coquelicots et de bleuets.

Tout était terminé à l'exception d'une seule boutonnière. Et là où la boutonnière manquait, il y avait un tout petit morceau de papier épinglé qui portait, tracés d'une écriture minuscule, ces quelques mots :

Plus de fil couleur cerise.

Et, depuis ce jour, la chance sourit au vieux tailleur. Il retrouva

une bonne santé et devint prospère.

Il confectionnait de magnifiques gilets pour les plus riches marchands de Gloucester et pour les gentilshommes des environs.

On n'avait jamais vu des jabots aussi élégants ni des manchettes aussi joliment brodées. Mais ce qu'il y avait de plus étonnant encore, c'étaient les boutonnières. Elles étaient cousues avec tant d'art qu'on se demandait bien comment un vieil homme aux doigts noueux et portant lunettes pouvait réaliser un tel travail.

Pour tout dire, ces boutonnières étaient si finement brodées qu'il n'aurait pas été surprenant qu'elles aient été faites par des souris.

FIN

JEANNOT LAPIN

1904

À PROPOS
DE CETTE HISTOIRE

Le véritable Jeannot Lapin (Benjamin Bunny) était l'un des animaux apprivoisés de Beatrix Potter ; elle l'a maintes fois dessiné et s'amusait de ses exploits. « C'est un pleutre incorrigible, mais capable de fanfaronner, de faire baisser les yeux à notre vieux chien et de poursuivre un chat qui a tourné les talons. » Bien que ce lapin fût déjà mort en 1904, lorsque l'histoire a été publiée, Beatrix a bien pu penser à lui lorsqu'elle a créé Jeannot, le cousin de Pierre Lapin. C'est un animal très sûr de lui, qui se sent parfaitement à son aise dans le jardin de Monsieur MacGregor.

Beatrix a dessiné les scènes de nature de l'histoire quand elle était en vacances à Fawe Park, une demeure dotée d'un beau jardin, dans la région des Lacs. Le livre est dédicacé aux « enfants de Sawrey du vieux Monsieur Lapin Père ». À la suite, Beatrix a séjourné dans le village de Sawrey, dans la région des Lacs, où elle a acheté une petite ferme, en 1905.

Un beau matin,
un petit lapin était
près d'une souche d'arbre.
Il dressa l'oreille en
entendant le pas trottinant
d'un cheval.
Un cabriolet passa sur
la route ; il était conduit
par Monsieur MacGregor.
Madame MacGregor, assise
à ses côtés, portait son
chapeau des grands jours…

Dès qu'ils se furent
éloignés, le petit Jeannot
Lapin sauta sur la route,
et hop, hop – deux bonds,
trois sauts – il partit voir
ses cousins qui habitaient
dans les bois derrière
le jardin de Monsieur
MacGregor.

Ces bois étaient truffés
de terriers de lapins.
Dans le plus proprement
tenu d'entre eux habitaient
la tante de Jeannot et
ses enfants, Flopsaut,
Trotsaut, Queue-de-Coton
et Pierre.
Madame Lapin était veuve ;
elle gagnait sa vie
en tricotant des moufles
et des chaussettes en poil
de lapin (moi-même,
il m'est arrivé d'en acheter
à l'épicerie du village).

Elle vendait aussi des herbes,
du thé au romarin et
du tabac-de-lapin (que nous,
nous appelons lavande).
Jeannot Lapin n'avait pas
très envie de rencontrer
sa tante.
En faisant le tour du grand
sapin, il faillit trébucher
sur son cousin Pierre.
Pierre était assis tout seul
au creux du fossé. Il avait l'air
un peu mal en point et
il était enveloppé d'un grand
mouchoir de coton rouge.

« Pierre, chuchota Jeannot, qui t'a pris tes habits ? »

« C'est l'épouvantail du jardin
de Monsieur MacGregor »,
dit Pierre, et il expliqua
à son cousin comment
il avait perdu ses chaussures
et son manteau en cours
de route.
Le petit Jeannot s'assit
à côté de lui, et lui apprit
que Monsieur MacGregor
ne serait sans doute pas là
de la journée, parce qu'il
l'avait vu partir en cabriolet,
et que Madame MacGregor
était en grande tenue.

Pierre dit qu'il aimerait
qu'il se mette à pleuvoir.
Au même moment,
on entendit Madame Lapin
s'écrier :
« Trotsaut ! Trotsaut, va me
chercher de la camomille ! »
Pierre déclara qu'il
se sentirait peut-être mieux
s'il allait faire une petite
promenade.

Ils s'en allèrent, main
dans la main ; à la lisière
du bois, ils grimpèrent
sur le muret de pierre
qui surplombait le jardin
de Monsieur MacGregor.
De là-haut, on voyait
très bien l'épouvantail
à moineaux, habillé du
manteau et des chaussures
de Pierre et coiffé
d'un vieux béret à pompon
de Monsieur MacGregor.

« On abîme ses vêtements
si on passe sous la barrière.
Descendons par le poirier ;
C'est la meilleure façon
de rentrer dans le jardin »,
dit Jeannot Lapin.
Mais Pierre lâcha prise et
tomba la tête la première.
Il se fit plus de peur que
de mal, car il atterrit sur
un matelas de terre molle
fraîchement ratissée.
On venait d'y planter
des laitues.

Les deux cousins laissèrent
de drôles de petites traces
de pas partout sur
les semis – surtout Jeannot
qui portait des sabots.
Jeannot Lapin déclara
que la première chose
à faire, c'était de récupérer
les vêtements de Pierre
pour pouvoir se servir
du mouchoir.

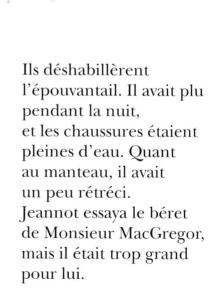

Ils déshabillèrent
l'épouvantail. Il avait plu
pendant la nuit,
et les chaussures étaient
pleines d'eau. Quant
au manteau, il avait
un peu rétréci.
Jeannot essaya le béret
de Monsieur MacGregor,
mais il était trop grand
pour lui.

Ensuite, il suggéra
de remplir le mouchoir
d'oignons ; il en ferait
cadeau à sa tante.
Pierre n'avait pas l'air
de beaucoup s'amuser.
Il croyait entendre partout
des bruits inquiétants.

Au contraire, Jeannot
était tout à fait à son aise,
et croquait une feuille de
laitue. Il disait qu'il venait
souvent avec son père
le dimanche chercher de
la salade pour le déjeuner.
(Le papa de Jeannot
s'appelait Monsieur
Jean Lapin Père.)
Les laitues étaient sans
aucun doute de première
qualité.

Pierre ne mangeait
rien du tout ; il disait qu'il
voulait rentrer à la maison.
Et voilà qu'il laissa tomber
la moitié des oignons.

Jeannot fit remarquer
qu'il était impossible
de remonter par le poirier
avec leur chargement
de légumes. Il s'engagea
hardiment sur le chemin
de planches qui traversait
le jardin, tout le long
du mur ensoleillé.
Des souris étaient en train
de casser des noyaux
de cerises sur le pas
de leur porte. Elles firent
des clins d'œil à Jeannot
et à Pierre au passage.

Pierre lâcha le mouchoir
une fois de plus.

Ils passèrent au milieu
de pots de fleurs, de serres
et de baquets d'eau. Pierre
entendait plus de bruits
que jamais et il ouvrait
des yeux grands comme
des pièces de cent sous.
Il marchait devant
son cousin quand
il s'arrêta brusquement.

Et voici ce que les deux petits lapins découvrirent au détour de l'allée ! Jeannot ne perdit pas une seconde. En moins de temps qu'il ne faut pour le dire, il l'entraîna sous un grand panier d'osier où ils se cachèrent tous les deux avec les oignons…

La chatte se leva, s'étira, se dirigea vers le panier et vint le renifler. Peut-être aimait-elle l'odeur des oignons ? Toujours est-il qu'elle s'installa sur le panier.

Elle y resta couchée pendant
cinq heures.

Je ne peux pas vous dessiner
Pierre et Jeannot sous
le panier, parce qu'il y faisait
très sombre, et que l'odeur
des oignons était terrible.
Pierre et le petit Jeannot
en pleuraient à chaudes
larmes.

Le soleil avait fait le tour de la forêt, et l'après-midi
était bien avancé. La chatte n'avait pas bougé du panier.

Après tout ce temps,
on entendit – tip-tap, tip-tap –
un léger bruit de pattes,
suivi de la chute de quelques
gravillons.
La chatte leva la tête et vit
Monsieur Jean Lapin Père
avancer majestueusement
sur le mur du potager.
Il fumait une pipe de tabac-
de-lapin et tenait une baguette
de bouleau à la main.
Il cherchait son fils Jeannot.

Monsieur Jean Lapin
n'avait pas une très
haute opinion des chats.
Prenant son élan,
il se jeta de tout
son poids sur la chatte,
la fit rouler à bas
du panier et la poussa
dans la cabane à outils,
lui arrachant une touffe
de poils au passage.
La chatte fut tellement
surprise qu'elle ne
se débattit même pas.

Une fois la chatte rentrée
dans la cabane à outils,
Monsieur Jean Lapin
ferma la porte à clef.
Il revint ensuite vers
le panier, saisit son fils
par les oreilles et lui donna
une bonne fessée.
Puis ce fut le tour
de son neveu Pierre.

Enfin, il ramassa
le mouchoir
aux oignons, et prit
dignement le chemin
du retour.

Une demi-heure plus tard,
Monsieur MacGregor
était de retour dans
son jardin. Il remarqua
deux ou trois choses
qui l'intriguèrent beaucoup.
D'abord, on aurait dit que
quelqu'un s'était promené
partout – mais avec des sabots
ridiculement minuscules !
De plus, il n'arrivait pas
à comprendre comment
sa chatte avait réussi
à s'enfermer *dans* la cabane
à outils et à verrouiller la porte
de l'extérieur.

Quand Pierre arriva chez lui, sa maman lui pardonna
parce qu'elle était trop contente qu'il ait retrouvé ses chaussures
et son manteau.
Flopsaut et Pierre replièrent le mouchoir, et Madame Lapin
fit une guirlande d'oignons qu'elle suspendit au plafond
de la cuisine entre les herbes mises à sécher et le tabac-de-lapin.

FIN

DEUX VILAINES
SOURIS

1904

À PROPOS
DE CETTE HISTOIRE

Beatrix Potter a écrit l'histoire des *Deux vilaines souris* dans une période faste ; elle était devenue très amie avec son éditeur, Norman Warne, dans la famille duquel elle était parfois invitée. Norman avait construit une cage pour ses souris apprivoisées, Tom Pouce et Hunca Munca, et elle a pu ainsi les dessiner plus facilement pour son nouveau livre. Il avait aussi fait une poupée pour sa nièce favorite, Winifred, et Beatrix a été invitée pour la dessiner elle aussi. Cependant, la maman de la petite fille n'étant pas d'accord, Beatrix a dû se contenter des photographies et des exemplaires de meubles et d'aliments que Norman lui a envoyés. Elle a gardé toute sa vie certains de ces meubles et l'on peut encore les voir à Hill Top, sa première résidence de la région des Lacs.

Beatrix a dédicacé le livre à Winifred : « Pour W.M.L.W., la petite fille à qui appartenait la maison de poupées ».

IL ÉTAIT UNE FOIS
une maison de poupées.
Elle était magnifique, avec
sa façade rouge, ses petites
fenêtres blanches ornées
de rideaux de mousseline,
sa porte d'entrée encadrée
de moulures et sa cheminée.

Elle appartenait à deux
poupées qui s'appelaient
Lucile et Jeannette ou, plutôt,
elle appartenait à Lucile.
Jeannette, elle, était
la cuisinière. Mais Lucile
ne commandait jamais
de repas et Jeannette
ne faisait jamais la cuisine,
car le repas avait été livré
tout prêt une bonne fois
pour toutes dans
un emballage marqué
« fragile ».

Il se composait de deux
homards, d'un jambon,
d'un poisson, d'un gâteau,
de poires et d'oranges.
Tous ces mets étaient
très beaux, mais il était
impossible de les détacher
de leurs assiettes.

Un matin, Lucile et Jeannette
partirent en promenade
dans leur landau de poupées.
Il n'y avait personne dans
la chambre et tout était
silencieux. Mais, bientôt,
un petit remue-ménage
se fit entendre dans un coin,
près de la cheminée.
Il y avait là un trou, creusé
dans la plinthe.
Tom Pouce passa sa tête par
le trou puis la rentra aussitôt.
Tom Pouce était une souris.

Une minute plus tard,
Hunca Munca, son épouse,
passa également la tête
par le trou. Et, quand elle vit
qu'il n'y avait personne
dans la chambre,
elle s'aventura jusqu'au
seau à charbon.

La maison de poupées
se trouvait à l'autre bout
de la pièce. Tom Pouce
et Hunca Munca s'en
approchèrent prudemment.
Ils poussèrent la porte
qui n'était pas fermée à clé.

Les deux souris montèrent
au premier étage et jetèrent
un coup d'œil dans la salle
à manger. Aussitôt,
ce furent des cris de joie.
Un succulent repas
était servi sur la table.
Il y avait des cuillères, des
couteaux et des fourchettes
et deux chaises de poupée
qui semblaient les inviter
à s'asseoir.

Tom Pouce entreprit aussitôt de couper une tranche
de jambon bien rose, à la croûte dorée.
Mais le couteau se plia et le blessa. Tom Pouce
suça son doigt endolori.
« Ce jambon n'est pas assez cuit, dit-il, il est dur.
Essaie de le couper, Hunca Munca. »

Hunca Munca se mit debout
sur une chaise et essaya
à son tour de couper
le jambon, avec un autre
couteau de plomb.
« Ce jambon est plus dur
qu'une croûte de fromage »,
dit-elle.

Soudain, le jambon
se détacha de son assiette
et roula sous la table.
« Laisse-le donc où il est,
Hunca Munca, dit Tom
Pouce, et donne-moi plutôt
du poisson. »

Mais le poisson était collé à l'assiette et Hunca Munca, utilisant
tous les couverts l'un après l'autre, essaya en vain de l'en détacher.
Alors, Tom Pouce perdit son calme. Il posa le jambon au milieu
du parquet et tapa dessus à grands coups de pelle et de tisonnier.
Presque aussitôt, le jambon vola en morceaux :
sous sa peinture brillante, c'était un jambon en plâtre !

Alors, Tom Pouce et Hunca Munca se mirent vraiment en colère.
Ils cassèrent le gâteau, les homards, les poires et les oranges.

Et comme le poisson
ne voulait toujours pas
se détacher de son assiette,
ils le jetèrent dans
la cheminée, mais le feu
n'était en fait qu'un
papier rouge et le poisson
ne brûla pas.

Tom Pouce grimpa
le long de la cheminée
et se retrouva sur le toit.
Il n'y avait pas de suie
dans le conduit.

Tandis que Tom Pouce était au sommet de la cheminée, Hunca Munca eut une autre déception. Elle trouva dans le buffet de la cuisine de toutes petites boîtes en fer-blanc qui portaient des étiquettes : riz, café, tapioca mais, lorsqu'elle les retourna, il n'en sortit que des perles rouges et bleues.

Alors, les deux souris, surtout Tom Pouce, se mirent à faire les quatre cents coups. Tom Pouce prit les vêtements de Jeannette et les jeta par la fenêtre du dernier étage.

Hunca Munca, elle, avait
le sens pratique. Après avoir
à moitié vidé l'édredon
de Lucile de ses plumes,
elle se rappela que le sien
était usé.
Avec l'aide de Tom Pouce,
elle emporta l'édredon
que tous deux descendirent
par l'escalier. Il fut difficile
de le faire passer par le trou
de souris mais ils y parvinrent
quand même.

Ensuite, Hunca Munca revint prendre une chaise, une bibliothèque,
une cage à oiseau et différentes petites bricoles. Mais la bibliothèque
et la cage étaient trop grandes pour passer par leur trou.

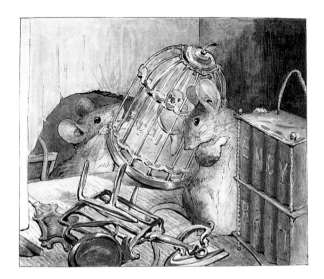

Hunca Munca les laissa près du seau à charbon et décida d'emporter un berceau.

Hunca Munca sortait de la maison avec une seconde chaise lorsqu'un bruit de conversation se fit entendre sur le palier. Les deux souris se précipitèrent dans leur trou tandis que les poupées entraient dans la pièce.

Quel spectacle désolant
les attendait !
Lucile s'assit sur la cuisinière
renversée et contempla
le désordre. Jeannette
s'appuya contre le buffet
et sourit. Mais aucune d'elles
ne fit la moindre remarque.

La bibliothèque et la cage furent retrouvées près du seau à charbon,
mais Hunca Munca avait conservé le berceau et quelques-uns
des vêtements de Lucile.

Elle avait emporté des pots, des casseroles et différents autres objets fort utiles.

La petite fille à qui appartenait la maison de poupées dit :
« Je vais acheter une poupée habillée en agent de police ! »

Mais sa gouvernante répondit :
« Je vais plutôt mettre un piège à souris ! »

Voilà donc l'histoire des deux méchantes souris. Mais elles n'étaient
pas si méchantes que ça, après tout, car Tom Pouce remboursa
les dégâts qu'il avait faits.
Il trouva une vieille pièce
de dix francs sous le tapis et,
la veille de Noël,
Hunca Munca et lui
allèrent la déposer
dans une des chaussettes
de Lucile et Jeannette.

Et depuis, chaque matin, de bonne heure, lorsque tout le monde dort encore, Hunca Munca vient avec sa pelle et son balai faire le ménage.

FIN

MADAME PIQUEDRU
LA BLANCHISSEUSE

1905

À PROPOS
DE CETTE HISTOIRE

Pour ses histoires d'animaux, Beatrix Potter s'est sans doute inspirée de ses propres petits compagnons à poils et à plumes, mais elle leur a souvent donné les traits de personnes de son entourage. Madame Piquedru doit ainsi beaucoup à l'Écossaise Kitty McDonald, blanchisseuse de son état, « une petite vieille toute ronde et comique, brune comme une mûre et portant une multitude de jupons ». Elle a raconté l'histoire pour la première fois à sa cousine, Stephanie Hyde Parker, en 1901, mais elle l'a finalement dédicacée, au moment de la publication, en 1905, à Lucie Carr, fille du pasteur de Newlands, la vallée dans laquelle elle se déroule. La femelle hérisson apprivoisée de Beatrix, Mrs. Tiggy-winkle (qui est le nom anglais du personnage), a servi de modèle : « Tant qu'elle peut venir dormir sur mes genoux, elle est ravie mais, si on la maintient en position debout plus d'une demi-heure, elle se met à gémir de manière pathétique, puis elle mord vraiment ! Néanmoins, c'est quelqu'un de très attachant. »

IL ÉTAIT UNE FOIS une
petite fille qui se nommait
Lucie. Elle habitait une ferme
qui s'appelait Petite-Ville.
C'était une petite fille très
sage. Simplement, elle perdait
toujours ses mouchoirs.
Un jour, Lucie sortit dans
la cour de la ferme
en pleurant et, croyez-moi,
elle pleurait fort !
« J'ai perdu mon mouchoir !
J'ai déjà perdu trois mouchoirs
et un tablier ! Les as-tu vus,
chaton tigré ? »

Mais le chaton ne
lui répondit pas, il faisait
sa toilette. Alors, Lucie
demanda à Sophie la poule :
« N'aurais-tu pas trouvé
trois mouchoirs dans
ta basse-cour ? »
Mais la poule s'enfuit dans
le poulailler en caquetant :
« Je vais pieds nus, pieds nus,
pieds nus ! »

Lucie demanda à Robin
le rouge-gorge assis sur
une branche s'il n'avait pas vu
ses mouchoirs. Le rouge-gorge
se contenta de regarder Lucie
de côté avec son œil noir
et brillant, puis il s'envola.
Lucie grimpa sur un petit mur
de pierre et porta son regard
vers les collines qui s'élevaient
au loin, très haut, si haut
que leur sommet se perdait
dans les nuages.
Et sur le flanc de la colline,
Lucie crut apercevoir des choses
blanches étalées sur l'herbe.

Alors, elle grimpa sur
la colline aussi vite que
ses petites jambes potelées
pouvaient la porter.
Elle courait le long d'un
sentier – montant, montant,
montant encore – et
Petite-Ville était à présent
loin au-dessous d'elle.
Elle aurait pu jeter un caillou
dans la cheminée.

Bientôt, elle atteignit une source d'eau claire qui jaillissait au flanc de la colline. Quelqu'un avait posé un seau sur une pierre pour y recueillir de l'eau mais le seau débordait déjà, car il n'était pas plus grand qu'un coquetier.

Aux abords de la source, là où le sable était humide, on pouvait distinguer des traces de pas toutes petites qui avaient dû être laissées par quelqu'un de minuscule. Lucie s'empressa de les suivre. Le sentier se terminait sous un gros rocher. Alentour, l'herbe était soigneusement coupée et d'un vert

éclatant. Et dans cette herbe étaient plantées des tiges de fougère qui soutenaient une corde à linge en paille tressée. À côté étaient empilés des vêtements et des pinces à linge minuscules, mais Lucie ne vit pas de mouchoirs. En revanche, il y avait une porte au bout du sentier. Une petite porte aménagée dans le flanc de la colline. Et derrière cette porte, quelqu'un chantait :

Blanc comme lis et tout propret
Sans tache aucune au grand jamais
Lave le linge à l'eau clairette
Lave jabots et collerettes.

Lucie frappa à la porte,
une fois, deux fois :
la chanson s'interrompit.
« Qui est là ? » demanda
une petite voix apeurée.
Lucie ouvrit la porte.
Toute surprise, elle entra
dans une petite cuisine au sol
dallé et aux poutres de bois, une
cuisine bien propre telle qu'on
pouvait en voir dans toutes les
fermes des environs. La seule
différence, c'est que le plafond
était si bas que la tête de Lucie
le touchait presque. Tout était
minuscule dans cette cuisine,
les casseroles, les pots,
les écuelles et les meubles.

Il y régnait une agréable odeur
de linge chaud. Une petite
personne courte et ronde
se tenait devant une table,
un fer à repasser à la main,
et regardait Lucie d'un air
inquiet. Sa robe était relevée
et elle portait un large tablier
devant son jupon à rayures.
Son petit nez tout noir
reniflait de-ci de-là et ses yeux
pétillaient. Mais ce qu'il y avait
de plus étonnant, c'est que sous
son bonnet elle n'avait pas de boucles
blondes, comme Lucie, mais des piquants.

« Qui êtes-vous ? demanda
Lucie, auriez-vous vu
mes mouchoirs ? »
L'étrange petite personne
fit une révérence.
« Oh ! oui, s'il vous plaît,
je m'appelle Madame
Piquedru, oh ! oui,
s'il vous plaît, et je suis
une excellente
blanchisseuse », dit-elle.
Puis elle prit du linge
dans un panier et l'étendit
sur la table à repasser.

« Qu'est-ce que c'est ?
demanda Lucie, ce ne
sont pas mes mouchoirs ?
– Oh ! non, c'est un petit
gilet qui appartient à Robin
le rouge-gorge », répondit
Madame Piquedru.
Elle repassa le gilet, le plia,
puis le mit de côté.

Elle prit ensuite le linge
qui pendait sur un séchoir.
« N'est-ce pas là mon tablier ?
demanda Lucie.
– Oh ! non, s'il vous plaît,
c'est une nappe de soie
qui appartient à Jenny
la mésange, et regardez,
il y a une tache de vin.
C'est bien difficile à laver »,
dit Madame Piquedru.

Le nez de Madame
Piquedru continuait
de renifler sans cesse,
de-ci de-là, et ses yeux
scintillaient et pétillaient.
Elle alla chercher
un autre fer à repasser
qui chauffait sur le feu.

« Regardez, j'ai trouvé
un de mes mouchoirs, s'écria
Lucie, et voici mon tablier ! »
Madame Piquedru le repassa,
l'empesa et en arrangea
soigneusement la collerette.
« C'est magnifique ! »
dit Lucie.

« Et ça, qu'est-ce que c'est ?
demanda Lucie, on dirait
de longs gants jaunes.
– Oh ! ça, ce sont les bas
de Sophie la poule,
répondit Madame Piquedru,
regardez comme elle a usé
ses talons à force de gratter
la basse-cour. Bientôt,
elle ira pieds nus ! »

« Tiens, il y a un autre
mouchoir, mais il est rouge,
ce n'est pas le mien, dit Lucie.
– Oh ! non, s'il vous plaît,
c'est celui du vieux
père Lapin, et il sent si fort
l'oignon que j'ai dû le laver
à part, mais je n'arrive pas
à chasser cette odeur.
– Oh ! voici un autre de
mes mouchoirs », dit Lucie.

« Et ça, qu'est-ce
que c'est ? demanda
Lucie en désignant deux
étranges petits morceaux
d'étoffe blanche.
– Ça, c'est une paire de
moufles qui appartient
à Katty la chatte.
Elle les lave elle-même
et moi, je les repasse.
– Et voici mon troisième
mouchoir ! » s'écria
Lucie.

« Qu'êtes-vous en train de tremper dans ce bol d'amidon ?
demanda la petite fille.

– Ce sont les petits plastrons de Mésange Bleue qui est tellement
méticuleuse, dit Madame Piquedru. Voilà, j'ai fini mon repassage,
je vais étendre le linge, à présent. »

« Et ces petites boules si douces,
qu'est-ce que c'est ? demanda
Lucie.
– Ce sont des manteaux
de laine. Ils appartiennent
aux agneaux des fermes voisines.
– Les agneaux peuvent enlever
leurs manteaux ? demanda
Lucie.
– Oh ! oui, s'il vous plaît,
regardez, là, sur l'épaule,
il y a une marque. Il y en a trois
qui viennent de Petite-Ville.
On les marque toujours
quand on les lave ! »
dit Madame Piquedru.

Elle suspendit au plafond
des vêtements de
toutes sortes et de toutes
tailles. Des petits manteaux
de souris, le gilet de
velours noir d'une taupe,
une redingote rouge
qui appartenait à Noisette
l'écureuil, la petite
veste bleue de Pierre Lapin
et un jupon sans étiquette
perdu parmi les autres
vêtements. Il ne restait
plus rien dans son panier.

Ensuite, Madame Piquedru prépara du thé, une tasse pour elle et une tasse pour Lucie. Toutes deux s'assirent auprès du feu, sur un banc, en se regardant de côté. Les mains de Madame Piquedru avaient une couleur très foncée et elles étaient toutes ridées à force d'avoir trempé dans la lessive. Son bonnet et même sa robe étaient hérissés d'épingles à cheveux piquées à l'envers, aussi Lucie ne voulait-elle pas s'asseoir trop près d'elle.

Après avoir bu leur thé, elles empaquetèrent les vêtements dans des balluchons. Et Madame Piquedru plia les mouchoirs de Lucie dans son tablier tout propre qu'elle attacha avec une épingle de nourrice en argent. Elles ravivèrent le feu en y jetant de la tourbe puis elles sortirent, fermèrent la maison et glissèrent la clé sous la porte.

Lucie et Madame
Piquedru redescendirent
la colline à petits pas,
chargées de leurs
balluchons.
Tout au long du chemin,
de petits animaux
sortaient des fougères
pour venir reprendre
leurs vêtements.
Les premiers à apparaître
furent Pierre Lapin
et son cousin Jeannot.

Madame Piquedru
leur donna à tous leur linge
propre et repassé et
tout le monde la remercia
chaleureusement.

Lorsqu'elles arrivèrent
au bas de la colline,
elles avaient tout distribué
et il ne leur restait plus
que le petit balluchon
de Lucie.

Lucie grimpa sur le petit mur
de pierre, son linge à la main,
et se retourna pour dire
bonsoir à la blanchisseuse.
Mais quelle surprise !
Madame Piquedru n'avait pas
attendu d'être remerciée
ni payée pour son travail.
Elle courait, courait, courait,
remontant le long de
la colline et elle n'avait plus
ni son bonnet, ni son châle,
ni sa robe, ni son jupon.

Elle semblait encore plus petite, elle était toute brune et couverte de piquants ! Car Madame Piquedru était en fait un hérisson !

(Certaines personnes prétendent que la petite Lucie s'était endormie près du mur de pierre et qu'elle avait rêvé, mais alors, comment expliquer qu'elle ait retrouvé ses trois mouchoirs enveloppés dans son tablier tout propre fermé par une épingle de nourrice en argent ?
Et d'ailleurs, moi, j'ai vu cette porte dans le flanc de la colline et j'ai très bien connu cette chère Madame Piquedru !)

FIN

Le pâté
à la souris

1905

À PROPOS
DE CETTE HISTOIRE

Cette histoire trouve ses racines dans le village de Sawrey, bien que Beatrix n'y résidât pas, en 1902, lorsqu'elle en a dessiné les chemins, les maisons et les jardins. Elle a été initialement rédigée en 1903, puis laissée de côté jusqu'en 1905. Elle reflète l'amour de Beatrix pour ce village de la région des Lacs et pour ses habitants, et elle était l'une des préférées de l'auteur : « Si le livre sort, ce sera mon favori, après le *Tailleur.* » L'histoire a été publiée en 1905, dans un format nettement plus grand que celui des autres livres, puis dans le format standard en 1930 ; elle a ensuite été classée à la dix-septième place de la série *The Original Peter Rabbit Books* (qui deviendra un jour en France la *Bibliothèque de Pierre Lapin*).

Voici la dédicace : « À Joan [l'une des filles Moore], pour lire à Baby [la nièce de Beatrix, baptisée du même prénom qu'elle et née en novembre 1903] ».

Il était une fois une petite chatte nommée Ribby. Elle envoya une invitation pour le thé à une petite chienne appelée Duchesse.

« Venez à l'heure, ma chère Duchesse, disait la lettre de Ribby, et nous aurons quelque chose de très très bon, que je fais cuire au four dans une terrine – une terrine blanc et rose. Vous n'avez jamais rien goûté d'aussi bon. Et vous pourrez tout manger ! Moi, j'aurai des muffins, ma chère Duchesse ! » écrivit Ribby.

Duchesse lut la lettre et écrivit une réponse : « Je viendrai avec grand plaisir, à quatre heures et quart. Mais c'est très étrange. J'étais moi-même justement sur le point de vous inviter à souper, ma chère Ribby, pour déguster un plat des plus savoureux. Je serai ponctuelle, ma chère Ribby », poursuivit Duchesse. Et à la fin, elle ajouta : « J'espère que ce ne sera pas de la souris ! »

Mais elle songea que ce n'était guère poli ; elle biffa donc « ne sera pas de la souris », le remplaça par « que cela vous conviendra », et donna la lettre au facteur.

Cependant, elle ne cessait de penser au pâté de Ribby, et elle relut la lettre encore et encore.

« J'ai grand peur que ce soit de la souris ! se disait Duchesse. Mais je ne pourrais vraiment, vraiment pas manger de la souris. Or, j'y serai obligée, puisque je suis invitée. Mon pâté devait être au veau et au jambon. Une terrine blanc et rose ! Mais la mienne aussi, comme celle de Ribby. Nous les avons achetées toutes deux chez Tabitha Tchutchut. »

Duchesse alla dans son garde-manger, prit son pâté sur l'étagère et l'examina.

« Il est prêt à aller au four. Un si beau pâté en croûte ; et j'y ai placé un petit moule à tartelette en étain, pour que la croûte soit bien mainte-nue ; et j'ai fait un trou au milieu avec la four-chette pour que la va-peur puisse sortir. Oh, comme j'aimerais manger mon propre pâté, plu-tôt qu'un pâté à la souris ! »

Duchesse examina encore et encore la lettre de Ribby : « Une ter-rine blanc et rose – et vous pourrez tout manger. "Vous", ça veut dire moi… donc, Ribby n'y goûtera même pas, à son pâté. Une terrine rose et blanc ! Ribby est sûrement sortie pour acheter les muffins… Oh, quelle bonne idée ! Je pourrais me faufiler chez Ribby et glisser mon pâté dans son four avant qu'elle ne rentre ! »

Duchesse était enchantée de son ingéniosité !

Entre-temps, Ribby avait reçu la réponse de Duchesse et, désormais assurée de la venue de la petite chienne, elle mit au four son pâté en croûte. Il y avait deux fours, l'un au-dessus de l'autre, et le fourneau avait aussi d'autres poi-gnées et d'autres boutons, mais purement orne-mentaux. Ribby choisit le four du bas – dont la porte était dure à ouvrir.

« Celui du haut cuit trop rapidement, se dit Ribby. C'est un pâté de souris tendre et déli-cieuse, hachée avec du bacon. Et j'ai soigneuse-ment retiré les os, parce que Duchesse a failli

s'étrangler avec une arête de poisson, la dernière fois que je l'ai invitée. Elle mange un peu vite – des bouchées vraiment trop grosses. Mais c'est une petite chienne distinguée et élégante ; une compagnie infiniment supérieure à celle de Cousine Tabitha Tchutchut. »

Ribby mit du charbon et nettoya le foyer. Puis, elle sortit avec un broc pour aller au puits, chercher de l'eau pour la bouilloire.

Ensuite, elle mit de l'ordre dans la pièce, qui servait de salle à manger en même temps que de cuisine. Elle secoua les tapis à l'extérieur et les étala bien droits ; le tapis devant l'âtre était en peau de lapin. Elle épousseta la pendule et les bibelots sur la cheminée, puis cira et astiqua les tables et les chaises.

Ensuite, elle mit une belle nappe bien blanche, sur laquelle elle disposa son plus beau service à thé, sorti du placard mural près de la cheminée. Les tasses étaient blanches, avec un

motif de roses roses ;
les soucoupes étaient
bleu et blanc.

Quand elle eut mis la
table, Ribby prit un pot
et un plat blanc et bleu,
et s'en alla à la ferme à
travers champs, pour
chercher du lait et du
beurre.

Quand elle revint,
elle regarda dans le
four du bas ; le pâté
était en bonne voie.

Ribby mit alors son
châle et son bonnet et
sortit à nouveau, avec
son panier, pour aller
à la boutique du vil-
lage acheter un paquet
de thé, une livre de
sucre en morceaux et
un pot de confiture.

Au même moment, Du-
chesse sortait elle aussi de sa
maison, à l'autre bout du
village.

Ribby rencontra Duchesse
à mi-chemin, portant elle
aussi un panier, couvert d'un
linge. Elles se contentèrent
de se saluer, sans se parler,
car elles devaient se retrouver bientôt.

Dès que Duchesse eut tourné le coin, elle se mit à courir ! Tout droit, jusque chez Ribby !

Ribby, elle, fit ses courses à la boutique et s'en revint chez elle, après avoir bavardé un petit moment avec Cousine Tabitha Tchutchut.

À la suite de leur conversation, Cousine Tabitha se répandit en sarcasmes : « Une petite chienne ! Vraiment ! Comme s'il n'y avait pas de CHATTES à Sawrey ! Et un pâté en croûte pour le thé ! Quelle drôle d'idée ! »

Ribby passa chez Théodore Boulanger pour acheter les muffins. Puis elle regagna son logis. En entrant chez elle, il lui sembla entendre une sorte de bruit de pas, à la porte de derrière.

« J'espère que ce n'est pas cette pie, se dit Ribby. De toute façon, les cuillères sont sous clé ! »

Mais il n'y avait personne. Ribby ouvrit,

avec difficulté, la porte du four du bas, et tourna le pâté. Une bonne odeur de souris rôtie commença à se répandre !

Duchesse, entre-temps, s'était glissée par la porte de derrière.

« C'est vraiment bizarre ! Le pâté de Ribby n'était pas dans le four lorsque j'y ai mis le mien ! Et impossible de le trouver ; j'ai pourtant regardé dans toute la maison. J'ai mis mon pâté dans un four tout chaud, en haut. Je n'ai pu tourner aucune autre poignée ; je crois qu'elles sont toutes fausses, dit Duchesse, mais quand même, j'aurais bien aimé emporter le pâté à la souris. Je ne sais vraiment pas ce qu'elle a pu en faire ? Et puis j'ai entendu Ribby arriver, et j'ai dû m'enfuir par la porte de derrière ! »

Duchesse rentra chez elle et brossa sa magnifique fourrure noire. Elle cueillit ensuite dans son jardin un bouquet de fleurs, pour l'offrir à Ribby ; et elle s'occupa en attendant que quatre heures sonnent à la pendule.

Ribby – après s'être assurée, par une minutieuse inspection, que rien ne manquait dans son placard et son garde-manger – monta se changer.

Elle choisit une robe lilas, avec un tablier et un col en mousseline brodée.

« C'est très étrange, se dit-elle, je ne crois pas avoir laissé ce tiroir ouvert ; quelqu'un aurait-il essayé mes mitaines ? »

Elle redescendit et prépara le thé. Ensuite, elle posa la théière sur le fourneau. Elle jeta encore un coup d'œil dans le four du bas : le pâté en croûte avait pris une belle couleur dorée et commençait à fumer.

Elle s'assit devant le feu pour attendre la petite chienne. « Je suis contente d'avoir utilisé le four du bas, se dit Ribby, car celui du haut aurait sans doute été trop chaud. Je me demande pourquoi la porte de ce placard était ouverte ? La maison aurait-elle vraiment été visitée ? »

Très ponctuelle, Duchesse partit de chez elle à quatre heures. Mais elle traversa si vite le village qu'elle arriva en avance et dut s'attarder quelques minutes dans le sentier qui descendait jusqu'à la maison de Ribby.

«Je me demande si Ribby a sorti mon pâté du four, se dit-elle, et ce qu'est devenu l'autre, celui à la souris. »

À quatre heures et quart précises, un discret toc-toc se fit entendre à la porte de la maison. «Madame Ribston est-elle là ? s'enquit Duchesse, depuis le porche.

— Entrez ! Comment allez-vous, ma chère Duchesse ? répondit Ribby. J'espère que tout va bien !

— Plutôt bien, je vous remercie. Et vous-même, comment allez-vous, ma chère Ribby ? Je vous ai apporté quelques fleurs. Quelle délicieuse odeur de pâté !

— Oh ! Quelles jolies fleurs ! Oui, il est à la souris et au bacon !

— Mais ne parlons pas déjà de manger, ma chère Ribby, répliqua Duchesse. Quelle jolie nappe blanche !... Est-il déjà à point ? Est-il encore dans le four ?

— Je crois qu'il a encore besoin de cinq minutes, dit Ribby. Il est presque prêt. En attendant, je vais verser le thé. Prenez-vous du sucre, ma chère Duchesse ?

— Mais oui, merci, ma chère Ribby. Et puis-je en avoir un morceau sur le nez ?

— Mais comment donc, ma chère Duchesse. Comme cela vous va

bien ! Comme c'est joli ! Charmant ! »

Duchesse s'assit avec le sucre sur le nez, tout en reniflant : « Comme ce pâté sent bon ! J'adore le veau et le jambon – je veux dire, la souris et le bacon. »

Dans sa confusion, elle fit tomber le sucre et dut se glisser sous la table pour l'aller chercher. Ce faisant, elle ne vit pas de quel four Ribby tira le pâté.

La chatte posa ce dernier sur la table. Il répandait une odeur délicieuse.

Duchesse sortit de sous la table en mastiquant son sucre et s'assit sur sa chaise.

« Je vous coupe le pâté ! Moi, je vais prendre des muffins avec de la confiture, dit Ribby.

– Vraiment, vous préférez les muffins ? Le moule en étain vous gêne ?

– Je vous demande pardon ? s'étonna Ribby.

– Je vous passe la confiture ? » poursuivit Duchesse en toute hâte.

Le pâté était vraiment savoureux et les muffins, légers et bien chauds. Le tout diminua rapidement, surtout le pâté !

« Je crois, se disait Duchesse, je crois qu'il serait plus prudent de me servir moi-même, même si Ribby n'a apparemment rien remarqué en coupant le pâté. Avec la cuisson, les morceaux sont vraiment devenus très petits ! Je ne me souvenais pas les avoir hachés aussi fins. Je suppose que ce four cuit plus vite que le mien. »

« Comme Duchesse mange vite ! » se disait Ribby, tout en beurrant son cinquième muffin.

Le plat se vidait rapidement. Duchesse s'était servie quatre fois, et fouillait encore avec sa cuillère.

« Encore un peu de bacon, ma chère Duchesse ? proposa Ribby.

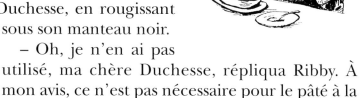

– Merci beaucoup, ma chère Ribby ; j'étais en train de chercher le moule en étain.

– Le moule en étain, ma chère Duchesse ?

– Le moule en étain qui maintient la croûte du pâté, dit Duchesse, en rougissant sous son manteau noir.

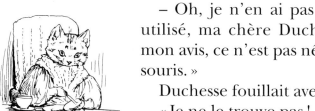

– Oh, je n'en ai pas utilisé, ma chère Duchesse, répliqua Ribby. À mon avis, ce n'est pas nécessaire pour le pâté à la souris. »

Duchesse fouillait avec sa cuillère.

« Je ne le trouve pas ! dit-elle, très inquiète.

– Il n'y a pas de moule en étain, affirma Ribby, très étonnée.

– Mais si, ma chère Ribby ; où a-t-il bien pu passer ? s'entêta Duchesse.

– Je suis certaine qu'il n'y en a pas, ma chère Duchesse. Je désapprouve l'utilisation d'articles en étain pour les puddings et les pâtés. Je crois qu'il faut les bannir – surtout lorsque les gens avalent sans mâcher ! » ajouta-t-elle à voix basse.

Duchesse semblait de plus en plus inquiète, et continuait de fouiller dans le plat.

« Ma grand-tante Bigleuse (la grand-mère de ma cousine Tabitha

Tchutchut) est morte à cause d'un dé dans le pudding de Noël. Je ne mets jamais rien en métal dans mes puddings ou mes pâtés. »

Duchesse semblait atterrée. Elle inclina le plat du pâté.

« Je n'ai d'ailleurs que quatre moules, et ils sont toujours dans le placard. »

Duchesse se mit à hurler.

« Je vais mourir ! Je vais mourir ! J'ai avalé un moule ! Oh, ma chère Ribby, je me sens si mal !

– C'est impossible, ma chère Duchesse. Il n'y avait pas de moule. »

Duchesse commença à gémir et à geindre, tout en chancelant.

« Oh ! Je me sens au plus mal ! J'ai avalé un moule !

– Il n'y avait rien dans le pâté, dit Ribby avec force.

– Si, il y en avait un, ma chère Ribby, et je suis sûre que je l'ai avalé !

– Laissez-moi vous installer sur un oreiller, ma chère Duchesse. Vous le sentez à quel endroit ?

– Oh, partout ! Je me sens malade de partout, ma chère Ribby. J'ai avalé un gros moule en étain, avec un rebord cannelé et coupant !

– Faut-il aller chercher un médecin ? Le temps de mettre les cuillères sous clé !

– Oh oui, oui, allez chercher le docteur Pivorace. »

Ribby installa Duchesse dans un fauteuil, devant le feu, et partit en courant chercher le docteur au village.

Elle le trouva chez le forgeron.

Il était occupé à introduire des clous rouillés dans une bouteille d'encre, récupérée à la poste.

« Du lard ? ah ! AH ! » dit-il, en penchant la tête de côté.

Ribby lui expliqua que son invitée avait avalé un moule en étain.

« De l'épinard ? ah ! AH ! » dit-il, et il la suivit avec empressement.

Il fila si vite que Ribby dut se mettre à courir. Ils se faisaient remarquer. Tout le village put constater que Ribby était allée chercher le docteur.

« Je savais bien qu'elles allaient avoir une indigestion ! » dit la cousine Tabitha Tchutchut.

Cependant, alors que Ribby cherchait ainsi le docteur, une chose curieuse était arrivée à Duchesse.

Restée seule devant la cheminée, soupirant et grognant, et se sentant très malheureuse :

« Comment ai-je bien pu l'avaler ? Il est si gros, ce moule en étain ! »

Elle se leva pour aller vers la table, fouiller encore dans la terrine avec une cuillère.

« Non, il n'y a pas de

moule ! Et il n'y a que moi qui en ai mangé. C'est donc moi qui l'ai avalé ! »

Elle retourna s'asseoir, contemplant le feu tristement. Les flammes pétillaient et dansaient, et quelque chose… sifflait !

Duchesse sursauta ! Elle ouvrit la porte du four du haut. Une délicieuse vapeur en sortit, un fumet de veau et de jambon. C'était un merveilleux pâté doré à souhait – avec un trou au sommet de la croûte, par lequel on entrevoyait l'éclat d'un petit moule en étain.

Duchesse laissa échapper un long soupir !

« Ainsi, j'ai bel et bien mangé de la souris !… Je ne m'étonne pas de m'être sentie malade… Mais peut-être les choses auraient-elles été pires si j'avais vraiment avalé le moule ! Duchesse réfléchit : Il ne sera pas facile d'expliquer tout cela à Ribby ! Je crois qu'il vaut mieux mettre mon pâté dans le jardin de derrière et ne rien dire du tout. En m'en allant, je ferai le tour pour le récupérer ! » Elle alla poser le pâté à l'extérieur, par la porte de derrière, revint s'asseoir devant le feu et ferma les yeux. Quand Ribby arriva avec le docteur, elle paraissait dormir.

« Du lard ? ah, AH ? dit le docteur.

– Je me sens beaucoup mieux, dit Duchesse, s'éveillant en sursaut.

– J'en suis bien contente. Il vous a apporté une pilule, ma chère Duchesse !

– Je crois que je préférerais qu'il se contente de me prendre le pouls, dit Duchesse en se reculant devant la pie, qui avançait de côté, avec quelque chose dans le bec.

– Ce n'est qu'une pilule de mie de pain. Vous feriez mieux de la prendre. Et buvez un peu de lait, ma chère Duchesse !

– Du lard ? Du lard ? dit le docteur, alors que Duchesse toussait et s'étranglait.

– Arrêtez de répéter ça ! dit Ribby, perdant patience. Tenez, prenez ce jambon et ce pain et allez dans le jardin !

– Du lard, de l'épinard ! ah ah AH ! cria triomphalement le docteur en sortant par la porte de derrière...

– Je me sens vraiment beaucoup mieux, ma chère Ribby, dit Duchesse. Ne croyez-vous pas qu'il vaut mieux que je rentre chez moi avant qu'il fasse nuit ?

– Ce serait sans doute plus sage, ma chère Duchesse. Je vais vous prêter un joli châle bien chaud, et vous vous appuierez sur mon bras.

– Je ne voudrais pas vous déranger le moins du monde. En fait, je me sens merveilleusement bien. La pilule du docteur Pivorace...

– C'est un vrai miracle qu'elle vous ait guérie du moule en étain ! Je prendrai de vos nouvelles dès demain matin, pour savoir si vous avez passé une bonne nuit. »

Ribby et Duchesse se dirent chaleureusement au revoir, et la petite chienne prit le chemin de sa maison. Toutefois, à mi-chemin du sentier, elle s'arrêta et se retourna. Ribby était rentrée et avait fermé sa porte. Duchesse repassa discrètement le portail, fit le tour de la maison de Ribby et regarda dans le jardin.

Sur le toit de la porcherie étaient assis le docteur Pivorace et trois choucas. Ces derniers mangeaient le pâté en croûte, tandis que la pie buvait le jus dans le moule en étain.

« Du lard, ah, AH ! » cria le docteur quand il vit la petite truffe noire de Duchesse pointer au coin du jardin.

Duchesse se sentit du coup un peu ridicule et rentra précipitamment chez elle.

Lorsque Ribby alla puiser un seau d'eau pour faire la vaisselle, elle découvrit, dans le jardin, les débris d'une terrine blanc et rose. Et devant la pompe, là où le docteur Pivorace l'avait expressément laissé, il y avait... le moule en étain !

Ribby le regarda avec stupeur. « C'est proprement incroyable ! Ainsi, il y avait réellement un moule en étain !... Et cependant, tous mes moules sont dans mon placard. Je n'y comprends rien… La prochaine fois que je lancerai une invitation, je choisirai ma cousine Tabitha Tchutchut. »

FIN

JÉRÉMIE PÊCHE-À-LA-LIGNE

1906

À PROPOS
DE CETTE HISTOIRE

Jérémie Pêche-à-la-Ligne (Mr. Jeremy Fisher) a été imaginé par Beatrix Potter des années avant que l'histoire ne fût finalement publiée, en 1906. Il apparaît d'abord en 1893, dans une lettre illustrée à Eric Moore, écrite par Beatrix le lendemain de l'envoi de Pierre Lapin au frère de ce dernier, Noel. En 1894, elle a dessiné une série de grenouilles qui a été publiée dans un album pour enfants et, en 1902, elle a débattu de l'histoire de Jérémie avec Norman Warne. Après la mort de ce dernier, elle a travaillé à l'histoire et l'a reprise avec Harold, frère de Norman, son nouvel éditeur. «Je crois que mon travail et votre gentillesse seront mon plus grand réconfort.» Car les heures de solitude, passées dans la région des Lacs à dessiner des scènes de nature, ont sans aucun doute été douces à Beatrix. Le livre contient quelques-unes de ses plus belles peintures. Il est dédicacé à Stephanie Hyde Parker, «de la part de la cousine B».

Il ÉTAIT UNE FOIS un crapaud qui s'appelait Jérémie Pêche-à-la-Ligne. Il vivait dans une maison humide, au bord d'un étang, parmi les boutons d'or. À l'arrière de la maison et dans la cuisine, le sol était recouvert d'une eau glissante.

Mais Jérémie aimait avoir les pieds mouillés et il n'était jamais enrhumé.

Un jour qu'il sortait de chez lui, Jérémie fut très content de voir qu'il pleuvait à grosses gouttes sur l'étang.

« Je vais aller dénicher quelques vers de
terre et partir à la pêche aux vairons,
dit Jérémie, et si j'attrape
plus de cinq poissons, j'inviterai
à dîner mes amis le conseiller
Ptolémée Tortue et le professeur
Isaac Newton, bien que
le conseiller ne mange que
de la salade. »

Jérémie, vêtu de son
imperméable et chaussé
de bottes en caoutchouc,

prit sa canne à pêche et son
panier et partit à grands bonds
vers l'endroit où se trouvait
son bateau. Ce bateau était vert
et rond comme une feuille
de nénuphar et Jérémie l'avait
amarré à une plante aquatique,
au milieu de l'étang.

Jérémie cueillit un roseau et,
s'en servant comme d'une perche,
poussa le bateau à découvert.
« Je connais un endroit où il y a
des vairons », dit-il.
Jérémie planta sa perche au fond
de l'étang et y attacha son bateau.
Puis il s'assit en tailleur et prépara
son matériel de pêche.

Il avait un tout petit bouchon
rouge. Sa canne à pêche était
faite d'une longue tige d'herbe
et sa ligne, d'un crin de cheval
blanc au bout duquel il attacha

un petit ver qui se tortillait.
Pendant presque une heure,
il garda les yeux fixés
sur le bouchon ; la pluie
lui coulait dans le dos.
« Cela devient lassant d'attendre,
je mangerais bien quelque
chose », dit-il.

Il ramena son bateau à l'abri des plantes de l'étang et sortit
les provisions qu'il avait emportées dans son panier.
« Je vais manger un sandwich au papillon et attendre la fin
de l'averse », se dit-il.

Un gros scarabée d'eau se glissa
sous le bateau de Jérémie et
lui pinça l'orteil à travers sa botte.
Le crapaud croisa ses pattes
un peu plus haut pour se mettre
hors d'atteinte et continua de
manger son sandwich.
Bientôt, quelque chose remua
parmi les joncs. Jérémie entendit
un bruissement et un clapotis.

« J'espère que ce n'est pas
un rat, dit-il, je ferais mieux
de partir d'ici. »

Jérémie poussa son bateau
un peu plus loin et trempa
son hameçon dans l'eau.
Presque aussitôt, de fortes
secousses agitèrent le bouchon.
« Un vairon ! Un vairon !
Il a mordu ! » s'écria le crapaud
en tirant sur sa ligne.

Mais quelle horrible surprise !
Au lieu d'un beau vairon bien gras,
Jérémie vit apparaître au bout
de sa ligne Jackie Lapointe
l'épinoche dont le dos était
couvert d'épines pointues.
L'épinoche se débattit, écorcha
et mordit Jérémie.

Puis, quand elle fut
hors d'haleine,
elle replongea dans l'eau.

Les autres poissons de l'étang
apparurent à la surface
et se moquèrent de Jérémie.
Mais, alors que Jérémie,
assis tristement sur son bateau,

suçait ses doigts meurtris
en scrutant la surface de l'eau,
quelque chose de beaucoup
plus terrible encore se produisit.

Une grosse, une énorme truite
jaillit hors de l'eau,

saisit Jérémie entre ses mâchoires
et l'emporta vers le fond
de l'étang.
Mais l'imperméable avait un goût
si déplaisant que la truite recracha
presque aussitôt sa proie, avalant
seulement les bottes de Jérémie.

Le crapaud sauta à la surface
de l'eau comme un bouchon
de champagne et nagea de toutes
ses forces vers la rive de l'étang.
Il se hissa sur la berge et prit
le chemin de sa maison
en coupant à travers champs,
son imperméable en lambeaux.

« Encore une chance que ce
n'ait pas été un brochet ! dit-il.

J'ai perdu ma canne à pêche et
mon panier. Mais ça ne fait rien,
car je me promets bien
de ne plus jamais retourner
à la pêche. »

Il mit du sparadrap sur
ses blessures et ses deux amis
arrivèrent chez lui pour dîner.
Il ne pouvait pas leur offrir
de poisson, mais il avait autre
chose dans son garde-manger.

Le professeur Isaac Newton
était vêtu de son gilet
noir et or.

Quant au conseiller Ptolémée
Tortue, il avait apporté sa salade
avec lui.

Alors, au lieu d'une bonne friture de vairons, tous trois mangèrent une sauterelle rôtie à la sauce de coccinelle. Pour un crapaud, c'est un mets délicieux. Mais moi, je suis sûre que ce doit être très mauvais !

FIN

LE MÉCHANT
PETIT LAPIN

1906

À PROPOS
DE CETTE HISTOIRE

L'histoire du *Méchant petit lapin*, comme celle de *Mademoiselle Mitoufle*, a d'abord été publiée sous forme de « panorama », c'est-à-dire de dépliant en accordéon, présentant les textes et les illustrations en longue bande, à l'intérieur d'un portefeuille à fermeture à rabat. Les deux livres étaient destinés aux très jeunes enfants. L'histoire du *Méchant petit lapin* a été spécialement écrite pour Louie, la petite fille de l'éditeur Harold Warne, qui avait dit à Beatrix que Pierre était un trop gentil lapin, et qui en voulait un vraiment désobéissant !

Malheureusement, les formats panoramiques n'ont pas été bien reçus par les libraires. Comme l'a noté Beatrix, « les librairies ont refusé avec raison de les stocker parce qu'ils se déroulaient et qu'il était difficile de les rouler à nouveau ». En 1916, les deux histoires ont été réimprimées sous forme de livres, et ajoutées en fin de liste à la série des livres de Pierre Lapin, en même temps que les comptines qui étaient à l'époque destinées aux très jeunes enfants.

Voici un méchant petit lapin ;
regardez ses moustaches
ébouriffées, ses griffes et
sa queue retroussée.

Voici en revanche
un gentil petit lapin.
Sa mère lui a donné
une carotte.

Le méchant lapin
aimerait bien avoir
une carotte, lui aussi.

Il ne dit pas :
« S'il vous plaît »,
il la prend
tout simplement.

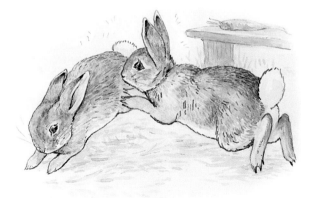

Et il griffe cruellement
le bon petit lapin.

Le bon petit lapin s'en va
les oreilles basses
et se cache dans un trou.
Il est tout triste.

Voici un homme armé
d'un fusil.

Il voit une silhouette
assise sur un banc.
Il croit que c'est un drôle
de petit oiseau.

Il s'approche
silencieusement
en se cachant
derrière les arbres.

Puis il tire.
PAN !

Et voici ce qui arrive.

Mais, quand il se précipite
vers le banc, voyez
ce qu'il trouve.

Le bon petit lapin jette
un coup d'œil hors
de son trou.

Et il voit le méchant lapin
qui court en pleurant.
Il n'a plus de queue
ni de moustaches.

FIN

MADEMOISELLE MITOUFLE

1906

À PROPOS
DE CETTE HISTOIRE

L'histoire de *Mademoiselle Mitoufle* a été la seconde à être publiée sous forme d'accordéon (en même temps que celle du *Méchant petit lapin*), pour Noël 1906. Mitoufle est la sœur de Tom Chaton, et l'histoire toute simple de ses exploits avec une souris effrontée est destinée aux tout-petits. Beatrix Potter ne voulait pas trop heurter son jeune public, comme le prouve sa note, pour une image, sur son brouillon : « Elle devrait l'attraper par la queue – moins déplaisant. » Cependant, tout finit bien dans cette délicieuse histoire.

Le livre a été réimprimé sous un format standard en 1916, pour satisfaire les libraires, et ajouté en fin de liste à la série des livres de Pierre Lapin, avec les trois autres titres destinés aux très jeunes enfants, *Le méchant petit lapin*, et les comptines de Pom Pommette et de Cécile Persil.

Voici une petite chatte qui s'appelle Mademoiselle Mitoufle. Elle croit avoir entendu une souris.

Voici la souris qui pointe le museau derrière l'armoire ; elle se moque de Mademoiselle Mitoufle. Ce n'est pas une petite chatte qui pourrait lui faire peur !

Mademoiselle Mitoufle
a pris son élan juste
une seconde trop tard ;
elle s'est fait mal au nez,
et la souris s'est sauvée.

Elle trouve que l'armoire
est un peu dure.

Du haut de l'armoire,
la souris observe
Mademoiselle Mitoufle.

Mademoiselle Mitoufle
s'enveloppe la tête
dans un mouchoir
et va s'asseoir devant le feu.
La souris croit que
la petite chatte a très mal ;

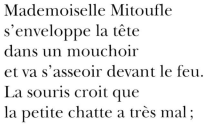

elle descend le long
du cordon de la sonnette.
Mademoiselle Mitoufle
a l'air de souffrir
de plus en plus. La souris
s'approche un petit peu
plus près.

Mademoiselle Mitoufle tient
sa pauvre tête entre ses pattes.
Il y a un petit trou dans
le mouchoir, et elle regarde
la souris. La souris vient encore
plus près.
Hop ! D'un bond, Mademoiselle
Mitoufle bondit sur la souris.

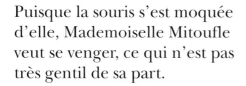

Puisque la souris s'est moquée
d'elle, Mademoiselle Mitoufle
veut se venger, ce qui n'est pas
très gentil de sa part.

Elle emballe la souris
dans le mouchoir,
et la lance en l'air
comme un ballon.

Mais elle avait oublié
le trou dans le mouchoir.
Quand elle défait
le nœud, plus de souris !

La souris s'est faufilée par le trou, et elle a pris ses jambes
à son cou ! La voici en train de danser la gigue sur la corniche
de l'armoire !

FIN

TOM CHATON

1907

À PROPOS
DE CETTE HISTOIRE

Lorsque Beatrix Potter a commencé à écrire l'histoire de *Tom Chaton*, elle était propriétaire depuis un an de la ferme de Hill Top, dans le village de Sawrey, dans la région des Lacs. L'agrandissement de la maison principale était terminé et Beatrix se consacrait avec enthousiasme à l'arrangement de son jardin. Elle ne pouvait pas séparer complètement ces préoccupations de son travail d'écriture, et la maison comme le jardin figurent dans l'histoire. Madame Tabitha Tchutchut conduit ses enfants, par le chemin montant, jusqu'à la porte de Hill Top, et nous pouvons voir l'escalier et les chambres de la maison. Les chatons s'ébattent parmi les fleurs du jardin pour sauter sur le mur qui domine Sawrey, et les canards se dandinent dans la cour de la ferme.

Comme modèle, Beatrix a utilisé le même chaton pour Mademoiselle Mitoufle et pour Tom. « Il est très jeune, joli, et incroyablement mignon. » Elle a dédicacé l'histoire à « tous les petits garnements et, particulièrement, à ceux qui montent sur le mur de mon jardin ».

IL ÉTAIT UNE FOIS trois
chatons qui s'appelaient
Moufle, Tom Chaton
et Mitoufle. Leur fourrure
était douce et brillante.
Souvent, ils faisaient
des cabrioles devant la porte
et jouaient dans la poussière.

Un jour, leur mère,
Madame Tabitha Tchutchut,
avait invité des amies
à prendre le thé. Elle alla
chercher ses trois chatons
pour les laver et les habiller
avant que ses hôtes n'arrivent.

Elle commença
par les débarbouiller
(voici Mitoufle).

Puis elle les brossa
(voici Moufle).

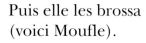

Enfin, elle leur peigna
la queue et les moustaches
(celui-ci, c'est Tom Chaton).
Tom avait mauvais caractère
et se mit à griffer sa mère.

Tabitha Tchutchut habilla
Mitoufle et Moufle
de robes blanches
et de collerettes. Pour
Tom Chaton, elle sortit
d'une commode
un costume très élégant,
mais pas très confortable.

Tom était bien potelé et il avait
beaucoup grandi depuis
quelque temps. Plusieurs boutons
de son costume sautèrent,
mais sa mère les recousit aussitôt.

Quand les trois chatons
furent prêts, Tabitha eut
l'imprudence de les renvoyer
jouer au jardin pour qu'ils
la laissent tranquille pendant
qu'elle préparait les toasts.
« Faites attention de ne pas salir
vos costumes, les enfants !

Marchez sur vos pattes de derrière et gardez-vous d'aller jouer
près du tas de fumier ou du poulailler. N'allez pas non plus
à la porcherie ni à la mare aux canards. »

Mitoufle et Moufle descendirent l'allée du jardin d'un pas mal assuré.
Presque aussitôt, toutes deux se prirent les pieds dans leurs robes
et tombèrent le nez en avant. Quand Moufle et Mitoufle se relevèrent,
il y avait plusieurs grosses taches sur leurs vêtements.

« Grimpons sur les rocailles
et allons nous asseoir sur
le mur du jardin », proposa
Mitoufle. Elles mirent leur
robe sens devant derrière
et sautèrent d'un bond
sur le mur. Mais la collerette
blanche de Mitoufle tomba
sur le chemin qui passait juste
au-dessous.

Tom Chaton, empêtré dans
son pantalon, n'arrivait pas
à sauter. Il escalada les rocailles
en piétinant les fougères et
en semant ses boutons à droite
et à gauche.

Il était tout dépenaillé
lorsqu'il atteignit le mur.
Mitoufle et Moufle
essayèrent de remettre de
l'ordre dans ses vêtements.
Mais son chapeau tomba
et ses derniers boutons
sautèrent.

Tandis qu'ils s'affairaient
ainsi, ils entendirent les pas
de trois canards qui
marchaient, peti-peta,
l'un derrière l'autre
en se dandinant le long
du chemin. Ils avançaient
à petits pas, peti-peta,
de-ci de-là.

Ils s'arrêtèrent et
observèrent les chatons
de leurs petits yeux surpris.

Deux des canards, Rebecca
et Sophie Canétang, ramassèrent
le chapeau de Tom Chaton
et la collerette de Mitoufle.
L'une se coiffa du chapeau, l'autre
attacha la collerette à son cou.

Moufle se mit à rire si fort
qu'elle en tomba du mur.
Mitoufle et Tom Chaton
la suivirent, mais en descendant
du mur ils perdirent ce qui
leur restait de vêtements.
« Monsieur Canétang,
dit Mitoufle, venez nous aider
à rhabiller Tom Chaton. »

Monsieur Canétang s'avança
en se dandinant et vint ramasser
un à un les vêtements de Tom.

Mais il s'en revêtit lui-même
et ils lui allaient encore
moins bien qu'au chaton.
« Quelle belle matinée ! »
dit le canard.

Puis il se remit en route,
accompagnée de Rebecca
et de Sophie Canétang,
peti-peta, de-ci de-là.

Bientôt, Tabitha Tchutchut
descendit dans le jardin
et trouva ses chatons
sur le mur sans aucun
vêtement.

Elle les fit descendre,
leur donna à chacun une tape
et les ramena à la maison.
« Mes amies vont arriver
d'un moment à l'autre et
vous n'êtes pas présentables !
Vous me faites honte ! »
Elle les envoya dans leur
chambre et je suis obligée
de dire que Tabitha fit croire
à ses amies que ses trois chatons
étaient au lit avec
la rougeole, ce qui, bien sûr,
n'était pas vrai.

En fait, les trois chatons
n'étaient pas du tout au lit.
Bien au contraire, ils étaient
en train de s'amuser et les invitées
de Tabitha les entendaient faire
beaucoup de bruit au-dessus
de leur tête, ce qui les empêcha
de boire leur thé tranquillement.

Je crois qu'un jour il faudra
que j'écrive un autre livre,
un gros livre pour vous en dire
plus sur Tom Chaton.

Quant aux canards,
ils retournèrent dans leur mare
et tous leurs vêtements
tombèrent au fond de l'eau faute
de boutons pour les attacher.

Monsieur Canétang, Rebecca
et Sophie les ont longtemps
cherchés et les cherchent
encore.

FIN

SOPHIE CANÉTANG

1908

À PROPOS
DE CETTE HISTOIRE

Beatrix Potter adorait sa ferme de Hill Top, et cet amour transparaît dans cette histoire. Elle y dépeint la femme du fermier, Mrs. Cannon, nourrissant la volaille, et montre également ses enfants, Ralph et Betsy, à qui est dédicacée cette « histoire campagnarde ». Kep, le colley, était le chien de troupeau favori de Beatrix et Sophie (Jemima) était une véritable canne de la basse-cour de Hill Top. C'est un personnage très populaire : vaniteuse et naïve, mais ô combien attachante !

Les illustrations montrent quelques jolies vues de Sawrey : le bois de Sophie existe toujours, le paysage depuis les collines, au-dessus de la ferme, de l'autre côté de la rivière Esthwaite, lui non plus n'a pas changé, et le Tower Bank Arms est toujours le pub du village. Le mélange d'imaginaire et de réalité, si fréquent chez Beatrix Potter, apporte à ses œuvres une saveur toute particulière.

Avez-vous déjà vu
une poule s'occuper
d'une couvée de canetons ?
C'est un spectacle assez
cocasse.
Mais écoutez plutôt l'histoire
de Sophie Canétang :
La femme du fermier
ne la laissait jamais couver
ses propres œufs et Sophie
s'en trouvait fort contrariée.

Sa belle-sœur Rebecca,
quant à elle, était tout à fait
d'accord pour que
quelqu'un d'autre couve
ses œufs à sa place.
« Je n'aurais jamais
la patience de rester assise
dans un nid pendant
vingt-huit jours et toi
non plus, Sophie.
Tu les laisserais refroidir,
tu le sais bien.
– Je veux couver mes œufs,
répondait Sophie, et
je les couverai toute seule ! »

Elle essayait bien de cacher
ses œufs, mais quelqu'un
finissait toujours par les trouver
et les lui prendre.
Sophie était au désespoir.
Aussi décida-t-elle un jour
d'établir son nid loin
de la ferme.

Et par un bel après-midi
de printemps, elle se mit en route,
vêtue d'un chapeau et d'un châle,
en direction de la colline.

Lorsqu'elle eut atteint
le sommet de la colline,
elle aperçut au lointain
un bois qui semblait pouvoir
lui offrir un abri sûr
et tranquille.

Sophie n'avait pas l'habitude
de voler. Elle descendit
la colline en courant et
en agitant son châle puis
elle s'élança dans les airs.

Le départ avait été difficile
mais, une fois qu'elle eut pris
de l'altitude, elle vola très bien.

Survolant le bois,
elle aperçut bientôt
une clairière parmi les arbres.
Sophie s'y posa plutôt
lourdement et chercha en
se dandinant un bon endroit
pour installer son nid.

Elle vit un peu plus loin une souche d'arbre entourée de digitales qui lui parut idéale. Mais, à sa grande surprise, un personnage élégamment vêtu était assis sur la souche et lisait un journal.

Ses oreilles étaient noires et pointues et il avait des moustaches rousses. « Coin, coin ? » dit Sophie en penchant la tête de côté. Le personnage leva les yeux de son journal et regarda Sophie avec curiosité. « Vous seriez-vous égarée, Madame ? demanda-t-il. Il avait une queue touffue sur laquelle il était assis, car la souche était quelque peu humide.

Sophie le trouva fort aimable et très séduisant. Elle lui expliqua qu'elle ne s'était pas égarée, mais qu'elle essayait de trouver un bon endroit pour installer son nid. « Ah vraiment ? Tiens donc », dit l'élégant personnage aux moustaches rousses, en regardant Sophie avec intérêt. Il plia son journal et le rangea dans la poche de son manteau. Sophie lui raconta ses malheurs, se plaignant de la poule qui couvait ses œufs à sa place.

« Voilà qui est intéressant, dit l'autre,
j'aimerais bien rencontrer
ce volatile pour lui apprendre
à s'occuper de ses affaires. »
« Mais en ce qui concerne
votre nid, soyez rassurée,
dans ma remise, il y a des sacs
de plumes et, là, je vous
promets la tranquillité ;
vous pourrez vous installer
sans crainte d'être dérangée »,
ajouta le personnage
à la queue touffue.
Il conduisit Sophie vers une
maison isolée, d'aspect lugubre,
perdue parmi les digitales.
La maison était faite de

branchages et de terre battue
et, sur le toit, il y avait deux
vieux seaux l'un sur l'autre
en guise de cheminée.
« C'est ma résidence d'été,
dit l'aimable inconnu,
ma tanière – je veux dire
ma résidence d'hiver –
est moins confortable. »
Il y avait à l'arrière
de la maison une resserre
délabrée construite avec
des caisses à savons. L'élégant
personnage ouvrit la porte
et invita Sophie à entrer.

La resserre était remplie
de plumes. C'en était presque
étouffant.
Sophie s'étonna de voir
une telle quantité de plumes.
Mais l'endroit était très douillet
et elle put sans difficulté
y aménager son nid.
Quand elle ressortit,
le personnage aux moustaches
rousses était assis sur une
grosse bûche et lisait son
journal. Ou plutôt, il faisait
semblant de lire, car, en fait,
il observait Sophie.
Il sembla désolé que Sophie
dût rentrer chez elle
pour la nuit, mais il lui promit

de prendre bien soin de son nid
jusqu'à son retour le lendemain
matin. Il ajouta qu'il aimait
beaucoup les œufs et
les canetons, et qu'il serait
très fier que sa resserre
abrite toute une couvée.
Par la suite, Sophie revint
chaque après-midi dans son nid
où elle pondit plusieurs œufs
exactement. Ils étaient
très gros et leur couleur tirait
sur le vert. Le rusé maître
des lieux les contemplait avec

la plus grande admiration et, quand Sophie
n'était pas là, il les retournait et les comptait.

Un jour, Sophie lui annonça
qu'elle commencerait à couver
dès le lendemain.
« J'apporterai un sac de graines,
dit-elle, ainsi je pourrai rester
au nid jusqu'à ce que les œufs
soient éclos. Autrement, ils
risqueraient de prendre froid.
– Chère Madame, lui dit son
hôte, ne vous encombrez pas
d'un sac, je vous donnerai
de l'avoine. Mais, avant que vous ne
commenciez à couver, je souhaiterais vous inviter à dîner. Puis-je
vous demander de m'apporter
quelques herbes de la ferme,
pour préparer une omelette ?
Il me faudrait de la sauge, du
thym, de la menthe, deux oignons
et du persil. Je me procurerai

du lard pour la farce
– je veux dire pour l'omelette. »
Sophie était naïve. Ni la sauge
ni les oignons n'éveillèrent
ses soupçons. Et elle alla cueillir
dans le jardin de la ferme toutes
les herbes que son hôte lui avait
demandées et dont on se sert généralement pour rôtir les canards.

Puis elle se rendit dans
la cuisine pour y prendre
deux oignons. En sortant
elle rencontra Kep, le chien
de la ferme.
« Que fais-tu avec ces oignons
et pourquoi quittes-tu la ferme
tous les après-midi ? »
lui demanda-t-il.
Sophie avait toujours eu
un peu peur du chien
et elle préféra lui raconter
son histoire sans chercher
à lui mentir.

Le chien l'écouta, la tête penchée, et il fit une grimace
lorsqu'elle lui décrivit le personnage aux moustaches rousses
qui se montrait si poli.
Le chien lui demanda
où se trouvaient le bois
et la maison de son hôte.

Puis il se rendit au village
pour y chercher deux
de ses amis chiens
qui se promenaient
avec le boucher.

Il faisait grand soleil lorsque
Sophie, chargée de ses herbes
et de ses oignons, monta
au sommet de la colline
pour la dernière fois.

Elle survola le bois et se posa devant la maison de son hôte
à la queue touffue. Il était assis sur un tronc d'arbre, flairant le vent
et jetant des regards inquiets autour de lui. Lorsqu'il aperçut Sophie,
il se précipita vers elle.

« Venez me rejoindre
à la maison dès que
vous aurez été voir vos œufs.
Donnez-moi les herbes pour
l'omelette. Dépêchez-vous ! »
Il avait dit cela d'un ton
brutal ; Sophie ne l'avait
jamais entendu parler ainsi.
Elle en fut étonnée et
se sentit soudain mal à l'aise.

Tandis qu'elle était dans
son nid, elle entendit
des bruits de pas derrière
la resserre. Elle vit un nez
tout noir qui reniflait
sous la porte, puis quelqu'un
la ferma à clé.
Sophie devint inquiète.
Un instant plus tard,
elle entendit un terrible
vacarme : des aboiements,
des grognements,
des hurlements,
des gémissements.

Et plus personne ne revit jamais
le renard aux moustaches rousses.
Bientôt, Kep, le chien de la ferme,

ouvrit la porte de la resserre
et délivra Sophie.
Mais, malheureusement,
les deux autres chiens
se précipitèrent à l'intérieur
et gobèrent ses œufs avant
que Sophie ait pu les arrêter.

Kep avait été mordu à l'oreille et les deux autres chiens boitaient.
Tous trois ramenèrent à la ferme Sophie qui pleurait la perte
de ses œufs.

Elle en pondit d'autres au mois de juin et on l'autorisa à les couver.
Mais quatre seulement purent éclore.
Sophie expliqua que c'était à cause de sa nervosité mais, en fait,
elle n'avait jamais été très douée pour rester assise.

FIN

Samuel le Moustachu
ou Le pâté au chat

1908

À PROPOS
DE CETTE HISTOIRE

Cette histoire a été publiée pour la première fois en 1908, sous le titre *The Roly-Poly Pudding* et dans le grand format utilisé pour *The Pie and the Patty-Pan* (*Le pâté à la souris*). Elle a été réimprimée en 1926, au format standard, sous le titre *Samuel Whiskers* (*Samuel le Moustachu*).

Elle a été écrite en 1906, lorsque Beatrix explorait la ferme de Hill Top, qu'elle venait d'acheter. Elle a décrit la maison dans une lettre à un ami. « Elle est vraiment charmante – si seulement on pouvait se débarrasser des rats !... C'est l'endroit idéal pour jouer à cache-cache, avec tous ces placards et ces penderies. » C'est évidemment le théâtre de ces nouvelles aventures de Tom Chaton, qui évolue dans une vieille ferme, avec le rat apprivoisé de Beatrix, à qui le livre est dédicacé : « En souvenir de Sammy, le représentant intelligent et aux yeux roses d'une race persécutée (mais irrépressible). Un petit ami affectueux et le plus doué des voleurs. »

Il était une fois une dame chat, qui s'appelait Tabitha Tchutchut ; elle s'inquiétait beaucoup pour ses enfants. Elle perdait sans cesse ses chatons et, dès qu'ils étaient hors de vue, ils faisaient des sottises !

Un jour qu'elle voulait cuisiner, elle se résolut à les enfermer dans un placard. Elle attrapa Mitoufle et Moufle, mais ne put trouver Tom.

Madame Tchuchut chercha dans toute la maison, de la cave au grenier, appelant Tom Chaton en miaulant. Elle regarda dans le garde-manger, sous l'escalier, et fouilla la chambre d'amis où tout était recouvert de housses. Elle grimpa en haut des escaliers et explora le grenier, mais ne le trouva nulle part.

C'était une très vieille maison, pleine de placards et de couloirs. Certains murs avaient plus de un mètre d'épaisseur et on entendait souvent des bruits bizarres à l'intérieur, comme s'il y avait eu là un petit escalier secret. Dans le vieux lambris, il y avait sans doute de petits passages inattendus, et des choses disparaissaient la nuit – en particulier du fromage et du jambon.

Madame Tchutchut était de plus en plus inquiète et faisait entendre des miaulements déchirants.

Tandis que leur mère fouillait la maison, Mitoufle et Moufle se mirent à faire des bêtises.

La porte du placard n'é-tant pas fermée à clé, elles la poussèrent et sortirent. Elles allèrent tout droit jusqu'à la boule de pâte qui avait été mise à lever dans un plat avant d'aller au four.

Elles y touchèrent de leur patte de velours.

« Si nous faisions de délicieux petits muffins ? » proposa Moufle à Mitoufle.

Mais, juste à cet instant, quelqu'un frappa à la porte d'entrée et Mitoufle, prise de frayeur, sauta dans le tonneau à farine.

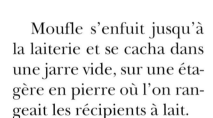

Moufle s'enfuit jusqu'à la laiterie et se cacha dans une jarre vide, sur une étagère en pierre où l'on rangeait les récipients à lait.

La visiteuse était une voisine, Madame Ribby, venue emprunter un peu de levure.

Madame Tchutchut descendit de l'étage en miaulant affreusement. « Entrez, Cousine Ribby, entrez donc et asseyez-vous ! Je suis morte d'inquiétude, Cousine Ribby, dit-elle en répandant des larmes. J'ai perdu Tom, mon tendre fils ; je crains que les rats ne l'aient emporté. » Elle s'essuya les yeux avec son tablier.

« C'est un vilain chaton, Cousine Tabitha ; la dernière fois que je suis venue prendre le thé, il a détricoté mon plus beau bonnet pour jouer au berceau du chat avec la laine. Où l'avez-vous cherché ?

– Dans toute la maison !
Les rats sont trop nombreux
pour moi. C'est bien difficile
d'avoir une famille indiscipli-
née ! répondit Madame Tabitha Tchutchut.

– Je n'ai pas peur des rats ;
je vais vous aider à le trouver,
et aussi à le corriger ! Pour-

quoi y a-t-il tant de suie sur la grille de la cheminée ?

— Le conduit a besoin d'être ramoné. Oh, mon Dieu, Cousine Ribby, voilà que Mitoufle et Moufle ont disparu !

— Elles sont toutes les deux sorties du placard ! »

Ribby et Tabitha se remirent à chercher dans toute la maison. Elles sondèrent le dessous des lits avec le parapluie de Ribby et fouillèrent les placards. Elles allumèrent même une bougie pour inspecter un coffre à vêtements dans l'un des greniers. Elles ne trouvèrent rien, mais entendirent le claquement d'une porte et quelqu'un qui dévalait des escaliers.

« Oui, c'est infesté de rats, dit Tabitha, la larme à l'œil. J'en ai attrapé sept jeunes dans un trou de l'arrière-cuisine, et nous les avons mangés samedi soir. Et une fois, j'ai vu le père – un vieux rat énorme, Cousine Ribby. J'allais sauter dessus quand il m'a montré ses dents jaunes et a filé dans son trou. Les rats

me portent sur les nerfs, Cousine Ribby », ajouta Tabitha.

Ribby et Tabitha cherchèrent et cherchèrent encore. Elles entendirent toutes deux

un curieux bruit de va-et-vient sous le plancher du grenier. Mais elles ne virent rien.

Elles revinrent dans la cuisine. « Ah, voici quand même un de vos chatons », dit Ribby en tirant Mitoufle hors du tonneau.

Elles la débarrassèrent de la farine et la posèrent sur le sol de la cuisine ; elle semblait très effrayée.

« Oh ! Maman, maman, dit Mitoufle, il y avait une vieille dame rat dans la cuisine et elle a volé de la pâte ! »

Les deux chattes se précipitèrent pour regarder dans le plat. En effet, il y avait des traces de petits doigts griffus et un morceau de pâte avait disparu !

« Par où est-elle partie, Mitoufle ? »

Mais Mitoufle avait eu trop peur pour oser jeter un second coup d'œil par-dessus le bord du tonneau.

Ribby et Tabitha l'emmenèrent avec elles pour

l'avoir à l'œil, tandis qu'elles poursuivaient leurs recherches. Elles se rendirent à la laiterie. La première chose qu'elles y virent fut Moufle, cachée dans une jarre vide.

Elles retournèrent la jarre et elle se glissa dehors.

« Oh ! Maman, maman ! dit Moufle. Oh ! Maman, maman, il y avait un vieux monsieur rat dans la laiterie – un horrible rat gros et gras, maman ! Et il a volé une motte de beurre et le rouleau à pâtisserie. »

Ribby et Tabitha se regardèrent.

« Un rouleau à pâtisserie et du beurre ! Oh, Tom, mon pauvre petit ! s'exclama Tabitha en se tordant les pattes.

– Un rouleau à pâtisserie ? dit Ribby. N'est-ce pas un bruit de rouleau que nous avons entendu dans le grenier, quand nous regardions dans le coffre ? »

Ribby et Tabitha se précipitèrent dans les

escaliers. À l'évidence, on
entendait toujours nette-
ment ce bruit de va-et-vient,
sous le plancher du grenier.

« Voilà qui est grave, Cousine Tabitha, dit Ribby. Il
faut aller chercher sur-le-
champ Jeannot le Charpen-
tier, avec sa scie. »

Maintenant, voici ce qui était arrivé à Tom Chaton, et l'on verra
combien il est imprudent de grimper dans la cheminée d'une très
vieille maison, alors que l'on
ne connaît pas le chemin et
qu'il y a d'énormes rats.

Tom Chaton n'avait nulle
envie de se faire enfermer
dans le placard. Quand il vit
que sa mère se préparait à cuisiner, il résolut de se cacher.

Il chercha un endroit sûr et
se décida pour la cheminée.

Le feu venait tout juste
d'être allumé et il n'y faisait pas trop chaud ; mais une fumée blanche,
suffocante, s'élevait du bois encore vert. Tom Chaton se jucha sur la
grille du foyer et regarda. C'était une très grande cheminée, à l'ancienne
mode.

Elle était assez vaste pour qu'un homme puisse s'y tenir debout et s'y
retourner. Il y avait donc toute la place pour un petit Tom Chaton.

Celui-ci sauta dans le conduit, se juchant sur la barre de fer à laquelle on accrochait la bouilloire.

Tom Chaton prit son élan depuis la barre et sauta une nouvelle fois. Il atterrit sur un rebord, à l'intérieur de la cheminée, en faisant tomber un peu de suie sur la grille.

À cause de la fumée, Tom Chaton toussa et suffoqua ; et il entendit le bois qui commençait à craquer et à s'enflammer dans le foyer, au-dessous de lui. Il se dit qu'il ferait mieux de grimper tout en haut du conduit et de sortir sur le toit pour essayer d'attraper les moineaux.

« Je ne peux pas redescendre. Si je glisse, je risque de tomber dans le feu et d'y roussir ma belle queue et ma petite veste bleue. »

C'était une très grande cheminée, à l'ancienne mode. Elle avait été construite au temps où les gens brûlaient de grosses bûches dans l'âtre.

Sur le toit, la souche se dressait comme une petite tour de pierre, et la lumière du jour pénétrait dans le conduit en passant sous les ardoises inclinées qui le protégeaient de la pluie.

Tom Chaton commençait à avoir grand-peur ! Il se mit à grimper, à grimper, de plus en plus haut.

Puis il suivit un conduit latéral, marchant dans une épaisse couche de suie. Il était comme une petite brosse de ramonage.

Dans le noir, tout se confondait. Chaque conduit semblait mener à un autre. Il y avait moins de fumée, mais Tom Chaton se sentait complètement perdu.

Il escalada encore et encore ; mais avant d'atteindre le haut de la cheminée, il parvint à un endroit où quelqu'un avait descellé une pierre du mur. Il y avait là quelques os de mouton.

« Voilà qui est bizarre, dit Tom Chaton. Qui a bien pu ronger ces os, ici, dans la cheminée ? Comme j'aimerais n'être jamais venu ! Et quelle drôle d'odeur ! Ça ressemble à la souris, mais en beaucoup plus fort. Ça me fait éternuer ! »

Il se glissa par le trou du mur et progressa dans un passage terriblement étroit, à peine éclairé.

Il suivit cette voie, prudemment, sur quelques

mètres ; il se trouvait alors derrière la plinthe du grenier, là où il y a une petite marque * sur l'illustration.

Et, tout à coup, il tomba la tête la première dans un

trou, dans le noir, et atterrit sur un tas de chiffons crasseux.

Lorsque Tom Chaton se redressa et regarda autour de lui, il s'aperçut qu'il se trouvait dans un endroit qu'il n'avait encore jamais vu, bien qu'il eût passé toute sa vie dans cette maison.

C'était une très petite pièce, renfermée et poussiéreuse, avec des planches et des chevrons, et des toiles d'araignées, et des lattes et du plâtre.

Face à lui – mais aussi loin de lui que possible – se tenait un énorme rat, assis.

« Qu'est-ce que cela signifie de tomber comme ça sur mon lit, tout couvert de suie ? demanda le rat, en grinçant des dents.

— Pardon monsieur, la cheminée a besoin d'être ramonée, dit le pauvre Tom Chaton.

— Lucie ! Lucie ! » glapit le rat. Il y eut un bruit de pattes et une vieille dame rat pointa sa tête derrière un chevron.

Elle se précipita sur Tom Chaton et, en un éclair, avant que celui-ci comprît ce qui lui arrivait, il fut dépouillé de sa veste, roulé comme un ballot et ligoté avec de la ficelle et des nœuds bien serrés.

C'est Lucie qui l'attacha. Le vieux rat la regardait faire, en prisant du tabac. Quand elle eut terminé, ils s'assirent tous deux pour le regarder, bouche ouverte.

« Lucie, dit le vieux rat (qui s'appelait Samuel le Moustachu), Lucie, si tu me faisais un pâté au chaton pour mon dîner ?

— Il faudrait de la pâte, une motte de beurre et un rouleau à pâtisserie, répondit Lucie, observant Tom Chaton, la tête penchée.

— Non, dit Samuel

le Moustachu, pour le faire dans les règles, Lucie, il faut de la chapelure.

– Absurde ! Du beurre et de la pâte ! » répliqua Lucie.

Les deux rats se concertèrent quelques minutes et disparurent.

Samuel le Moustachu passa par un trou du lambris et descendit hardiment par le grand escalier, jusqu'à la laiterie, pour trouver du beurre. Il ne rencontra personne. Il fit un second voyage pour le rouleau. Il le poussa devant lui avec ses pattes, comme un livreur de bière fait rouler un tonneau. Il entendit les voix de Ribby et de Tabitha, mais elles étaient occupées à allumer la bougie pour regarder dans le coffre. Elles ne le virent pas.

Lucie passa par le trou dans la plinthe, puis par un volet, pour gagner la cuisine, afin d'y dérober de la pâte.

Elle emprunta une petite soucoupe et préleva de la pâte avec ses pattes. Elle ne remarqua pas Mitoufle.

Pendant ce temps, Tom Chaton gisait toujours sur le sol du grenier. Il se mit à se tortiller et essaya de miauler pour appeler au secours. Mais il avait la bouche pleine de suie et de toiles d'araignées, et il était attaché avec des nœuds si serrés, qu'il ne put se faire entendre.

À l'exception d'une araignée qui passa par une fente du plafond et qui examina les nœuds d'un œil critique, à distance prudente.

Elle était experte en nœuds car elle avait l'habitude de ficeler d'infortunées mouches à viande. Mais elle ne proposa pas au chaton de l'aider.

Ce dernier se tortilla et gigota jusqu'à se trouver tout à fait épuisé.

Peu après, les rats revinrent et s'affairèrent pour le transformer en pâté en croûte. Tout

d'abord, ils le tartinèrent de beurre, puis ils le roulèrent dans la pâte.

« La ficelle ne sera-t-elle pas indigeste, Lucie ? » s'inquiéta Samuel le Moustachu.

Lucie répondit qu'à son avis, ça n'avait aucune importance ; mais ce qu'elle voulait, c'était que Tom Chaton cessât de bouger la tête car il dérangeait la pâte. Elle le maintint par les oreilles.

Tom Chaton mordait et crachait, miaulait et se tor- tillait, et le rouleau allait et venait, roulait et roulait en- core, chacun des rats en te- nant une extrémité.

« Sa queue sort encore ! Tu n'as pas rapporté assez de pâte, Lucie !

– J'en ai rapporté au- tant que je pouvais en porter ! répliqua Lucie.

– Je ne pense pas, dit Samuel le Moustachu, s'arrêtant pour regar- der Tom Chaton, je ne pense pas qu'il fera un bon pâté. Il sent la suie ! »

Lucie était sur le point de répondre quand tout à coup, au- dessus d'eux, d'autres

bruits se firent entendre – le grincement d'une scie ; et un petit chien, grattant et aboyant.

Les rats lâchèrent le rouleau à pâtisserie et écoutèrent attentivement.

« Nous sommes découverts, Lucie, et empêchés de continuer ; rassemblons vite nos affaires – et celles d'autrui – et partons à l'instant.

– Je crains que nous ne soyons obligés d'abandonner ce pâté.

– Mais je demeure persuadé que les nœuds auraient été bien difficiles à digérer, quoi que tu puisses dire !

– Viens vite m'aider moi à emballer quelques os de mouton dans un couvre-lit, dit Lucie. J'ai un demi jambon fumé caché dans la cheminée. »

Ainsi, lorsque Jeannot le Charpentier eut découpé les lames, il n'y avait plus personne sous le plancher, excepté le rouleau à pâtisserie et Tom Chaton, en fort mauvaise posture !

Mais il y régnait une forte odeur de rat ; et Jeannot le Charpentier passa le reste de la matinée à flairer et à geindre, agitant la queue, la tête dans le trou, tournant en rond comme une chignole !

Il finit par reclouer les lames du plancher, puis il rangea ses outils dans sa sacoche et descendit.

La famille chat s'était remise de ses émotions et l'invita à dîner.

La pâte avait été récupérée sur Tom Chaton et avait servi à faire un pudding, avec des groseilles pour masquer la suie.

Il avait fallu plonger Tom dans un bain chaud pour le débarrasser du beurre.

Jeannot le Charpentier flaira le pudding mais il s'excusa de ne pouvoir rester dîner : il venait de terminer une brouette pour Mademoiselle Potter et celle-ci avait de plus commandé deux cages à poules.

Et lorsque je me suis rendue à la poste en fin d'après-midi, j'ai jeté un coup d'œil dans le sentier, depuis le tournant, et j'ai vu Monsieur Samuel le Moustachu et son épouse qui fuyaient, transportant de gros paquets dans une brouette qui ressemblait beaucoup à la mienne.

Ils se hâtaient vers la barrière de la grange de Monsieur Betterave.

Samuel le Moustachu haletait, hors d'haleine. Lucie était encore en train de l'asticoter, d'une voix stridente.

Elle semblait savoir où elle allait et paraissait avoir beaucoup de bagages.

« Je suis certaine que je ne lui ai jamais prêté ma brouette ! »

Ils pénétrèrent dans la grange et hissèrent leurs paquets en haut de la meule de foin, avec un morceau de ficelle.

Après cela, on ne vit plus de rats chez Tabitha Tchut-chut pendant bien long-temps.

Quant à Monsieur Bette-rave, il est devenu presque fou. Sa grange regorge, dé-borde, fourmille de rats ! Ils dévorent le manger des poules, volent l'avoine et le son et font des trous dans les sacs de farine.

Et tous sont les des-cendants de Monsieur Samuel le Moustachu : ses enfants, ses petits-enfants, ses arrière arrière-petits-enfants.

Ça ne s'arrête ja-mais !

Mitoufle et Moufle ont grandi et sont devenues expertes à la chasse aux rats.

Elles proposent leurs services de dératisation au village, et ne manquent pas de travail. Elles se font payer à la douzaine et gagnent confortablement leur vie.

Elles accrochent les queues des rats en rang à la porte de la grange, pour montrer combien elles en ont attrapé – des douzaines et des douzaines.

Mais Tom Chaton a toujours autant peur des rats ; il n'a jamais osé affronté quoi que ce soit de plus gros qu'une…

… souris !

FIN

LA FAMILLE
FLOPSAUT

1909

À PROPOS
DE CETTE HISTOIRE

L'histoire de *La famille Flopsaut* nous ramène dans le monde de Pierre et de Jeannot Lapin. Les deux garnements ont maintenant grandi ; Jeannot a épousé Flopsaut, la sœur de Pierre, et, bien qu'il soit toujours « imprévoyant et joyeux », il a une famille nombreuse. Beatrix Potter savait que ses premiers livres avaient suscité une grande demande d'histoires de lapins, et elle a dédicacé celle-ci « À tous les petits amis de Monsieur MacGregor, de Pierre et de Jeannot ».

En outre, elle adorait dessiner les lapins, et aussi les jardins ! En 1909, en préparant ce livre, elle a résidé au pays de Galles, chez sa tante Harriet et son oncle Fred Burton, à Gwaynynog, dans leur grande demeure ; elle y a fait de nombreuses études du jardin. Lors d'une précédente visite, elle l'avait décrit comme « le plus joli des jardins, avec de belles fleurs de jadis poussant parmi les touffes de groseilliers ». On le retrouve en beauté dans ses très belles illustrations.

ON DIT QUE LA LAITUE
a des vertus soporifiques.
Pour ma part, je ne me suis jamais
sentie somnoler après avoir mangé
de la salade, mais il est vrai que
je ne suis pas un lapin. En tout cas,
la laitue avait sans aucun doute
un effet très soporifique sur
les lapins de la famille Flopsaut.

Quand Jeannot Lapin fut devenu
grand, il épousa sa cousine Flopsaut.
Ils eurent de nombreux enfants
et toute la famille vivait dans la joie
et l'insouciance. Je ne me souviens plus
du nom de chacun de leurs enfants ;
on les appelait généralement
« les petits Flopsaut ».

Comme il n'y avait pas toujours
assez à manger, Jeannot Lapin
avait coutume d'emprunter
des choux à son beau-frère,
Pierre Lapin, qui était jardinier.

Mais, parfois, Pierre Lapin
n'avait plus de choux
à lui donner.

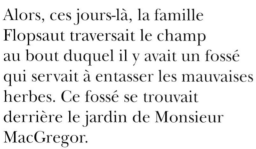

Alors, ces jours-là, la famille
Flopsaut traversait le champ
au bout duquel il y avait un fossé
qui servait à entasser les mauvaises
herbes. Ce fossé se trouvait
derrière le jardin de Monsieur
MacGregor.

Mais Monsieur MacGregor
ne jetait pas que des mauvaises
herbes dans ce fossé. Il y avait
aussi des pots de confiture,
des sacs en papier, l'herbe qu'il
coupait avec sa tondeuse (cette
herbe avait un goût d'huile),
des courges pourries et une
ou deux vieilles bottes. Un jour
– quel bonheur ! – les lapins
y trouvèrent des laitues
qui avaient trop poussé et
qui étaient montées en graine.

La famille Flopsaut se goinfra
littéralement de laitue. Alors, peu
à peu, l'un après l'autre, tous se
laissèrent gagner par le sommeil
et s'étendirent dans l'herbe coupée.
Jeannot céda moins vite que
ses enfants à la somnolence.
Il eut le temps, avant de s'endormir,
de se couvrir la tête d'un sac en
papier pour se protéger des mouches.
Ensuite, il s'assoupit à son tour.

Les petits Flopsaut étaient plongés
dans un délicieux sommeil, bien
au chaud sous les rayons du soleil.
Derrière le mur du jardin de
Monsieur MacGregor, on pouvait
entendre le cliquetis lointain
d'une tondeuse à gazon. Des
mouches bleues bourdonnaient
et une petite souris grignotait
des déchets parmi les pots de
confiture.

(Je puis vous dire son nom,
elle s'appelait Thomasine Trotte-Menu ;
c'était une souris des champs
et elle avait une longue queue.)
En se faufilant près du sac en papier
de Jeannot, elle le réveilla.
La souris lui fit bien des excuses et
lui dit qu'elle connaissait Jeannot Lapin.

Tandis qu'ils parlaient,
ils entendirent un bruit de pas
au-dessus de leurs têtes et,
soudain, Monsieur MacGregor
vida un sac d'herbe coupée
sur les petits Flopsaut
qui dormaient. Jeannot
se recroquevilla sous son sac
en papier et la souris se cacha
dans un pot de confiture.

Les lapereaux souriaient dans
leur sommeil sous cette pluie
d'herbe coupée. Ils ne se
réveillèrent pas, car la laitue avait
décidément sur eux des effets
très soporifiques. Ils rêvèrent que
leur mère les bordait dans un lit
de foin. Après avoir vidé son sac,
Monsieur MacGregor jeta un coup
d'œil dans le fossé. Il vit alors
de drôles de petits bouts d'oreilles
de lapins qui dépassaient dans
un tas d'herbe. Il les observa
pendant quelques instants.

Peu après, une mouche vint se poser sur un de ces petits bouts
d'oreille et l'oreille remua. Alors, Monsieur MacGregor descendit
dans le fossé. « Un, deux, trois, quatre, cinq, six petits lapins »,
dit-il en les ramassant et en les déposant dans son sac.

Les lapereaux rêvèrent
que leur mère les retournait
dans leur lit. Ils remuèrent
dans leur sommeil mais
ne se réveillèrent pas.

Monsieur MacGregor ficela
le sac et le laissa sur le mur
du jardin. Puis il s'en alla ranger
sa tondeuse à gazon.

Pendant qu'il était ainsi occupé,
Madame Flopsaut (qui était restée
à la maison) traversa le champ.
Elle regarda le sac avec méfiance
et se demanda où était passé
tout son monde.

La souris sortit alors de son pot
de confiture et Jeannot enleva le sac
en papier qui lui couvrait la tête.
Tous deux racontèrent à Madame
Flopsaut la lamentable histoire.
Jeannot et Madame Flopsaut étaient
au désespoir : ils ne parvenaient pas
à défaire la ficelle qui fermait le sac.
Mais la petite Thomasine Trotte-Menu
était pleine de ressources.

Elle grignota la toile du sac
et réussit à y faire un trou.
Les parents sortirent alors
leurs enfants du sac et
les pincèrent pour les réveiller.
Puis ils remplirent le sac
de trois courges pourries,

d'une vieille brosse
à cirage et de deux navets,
pourris eux aussi.
Ensuite, ils allèrent
se cacher sous un buisson
en attendant le retour
de Monsieur MacGregor.

Monsieur MacGregor revint
bientôt, ramassa le sac
et l'emporta. À la façon dont
il marchait, penché de côté,
il semblait que le sac était
bien lourd. Toute la famille
Flopsaut suivit Monsieur
MacGregor à distance.

Ils le regardèrent entrer
dans la maison.

Puis ils se glissèrent
silencieusement jusqu'à
la fenêtre pour écouter
ce qui se disait à l'intérieur.
Monsieur MacGregor jeta
le sac par terre avec tant
de force que les petits Flopsaut
se seraient fait très mal s'ils
avaient été enfermés dedans.

Les lapins entendirent Monsieur MacGregor traîner une chaise sur le sol et ricaner.

« Un, deux, trois, quatre, cinq, six petits lapins ! dit-il.

– Des lapins ? Comment ça, des lapins ? Qu'est-ce qu'ils ont abîmé encore ? demanda Madame MacGregor.

– Un, deux, trois, quatre, cinq, six petits lapins bien dodus, répéta Monsieur MacGregor en comptant sur ses doigts : Un, deux, trois...

– Cesse de marmonner des sottises, s'écria sa femme, qu'est-ce que tu veux dire, vieux gâteux ?

– Dans le sac ! Il y a un, deux, trois, quatre, cinq, six petits lapins », répondit Monsieur MacGregor.

(Le plus jeune des lapereaux sauta sur le rebord de la fenêtre.)
Madame MacGregor prit le sac et le palpa.

Elle dit qu'elle pouvait en effet en compter six mais que c'étaient sûrement de vieux lapins, car ils étaient tout durs et tous de forme différente.

« Ils ne doivent pas être bons à manger, mais je pourrai toujours utiliser leurs peaux pour refaire la doublure de mon vieux manteau.

– La doublure de ton manteau ? s'écria Monsieur MacGregor, pas question, je vais les vendre pour m'acheter du tabac !

– Sûrement pas ! Je vais les
dépecer et leur couper le cou ! »
Madame MacGregor dénoua
la ficelle qui fermait le sac
et plongea la main à l'intérieur.
Quand elle sentit sous ses doigts
les vieux légumes, elle se mit
très en colère et prétendit
que son mari l'avait fait exprès.

Monsieur MacGregor, lui aussi,
était furieux. L'une des courges
vola à travers la cuisine
et vint frapper le lapereau
qui épiait à la fenêtre.
Le choc fut rude.

Jeannot et Madame Flopsaut
estimèrent qu'il était temps
de rentrer à la maison.

Monsieur MacGregor ne put donc pas acheter son tabac
et sa femme dut se passer des peaux de lapin.
En revanche, à Noël, Thomasine Trotte-Menu reçut en cadeau
une bonne quantité de poils de lapin qui lui permit de se faire
une pelisse, un capuchon, un beau manchon et une paire
de moufles bien chaudes.

FIN

Gingembre
et Girofle

1909

À PROPOS
DE CETTE HISTOIRE

L'histoire de *Gingembre et Girofle*, en anglais *Ginger et Pickles*, a beaucoup diverti les habitants de Sawrey. «Elle dépeint beaucoup de choses du village, que l'on peut reconnaître, et c'est ce qu'ils ont aimé» note Beatrix dans une lettre à Millie Warne, sœur de Harold et de Norman. L'histoire met aussi en scène des personnages de contes précédents, évoluant dans leur vie quotidienne. Le policier de l'histoire des *Deux vilaines souris* fait même une apparition, à l'instar des poupées Lucille et Janette.

Le livre est dédié à John Taylor, dont l'épouse tenait la boutique du village de Sawrey, où se déroule la scène. Beatrix a précisé qu'elle n'avait pas pu le mettre dans l'histoire parce qu'il était toujours au lit, ce qui explique sa dédicace : «Avec mes amitiés à ce bon Mr. John Taylor, qui "pense qu'il pourrait bien se transformer en loir" (Trois ans dans un lit et jamais une plainte !) »

Il était une fois une boutique de village. Et sur sa vitrine, il était écrit Gingembre et Girofle.

C'était une toute petite boutique, à la taille des poupées – Lucille et Jeanette Poupée achetaient toujours leurs provisions chez Gingembre et Girofle.

Le comptoir y était à la bonne hauteur pour les lapins. Gingembre et Girofle vendaient des mouchoirs de poche rouges à pois pour quatre sous.

Ils vendaient aussi du sucre, du tabac à priser et des caoutchoucs.

D'ailleurs, bien que ce fût une petite boutique, elle vendait pratiquement de tout - excepté ce dont on peut avoir besoin de façon urgente – comme des lacets de chaussures, des épingles à chapeau ou des côtes d'agneau.

Les personnes qui tenaient la boutique étaient Gingembre et Girofle. Gingembre était un chat jaune et Girofle, un fox-terrier.

Les lapins avaient toujours un peu peur de Girofle.

La boutique était également fréquentée par

les souris – mais les souris, elles, avaient plutôt
peur de Gingembre.

Gingembre demandait
généralement à Girofle
de les servir, car il disait
qu'elles lui mettaient
l'eau à la bouche.

« Je ne peux supporter
de les voir aller jusqu'à la
porte, avec leurs petits
paquets.

– J'éprouve la même chose avec les rats, répliqua Girofle, mais manger ses clients, ça ne se fait pas ; ils nous abandonneraient pour aller
chez Tabitha Tchutchut.

– Non, au contraire, ils
n'iraient nulle part »,
remarqua Gingembre,
d'un air lugubre.

(Tabitha Tchutchut te-
nait la seule autre bou-
tique du village. Elle ne
faisait pas crédit.)

Gingembre et Girofle
faisaient un crédit illi-
mité.

Or, voici en quoi
consiste ce qu'on appelle

« crédit » : quand une cliente achète un pain de savon, au lieu de sortir
un porte-monnaie pour le payer, elle dit qu'elle paiera une autre fois.

Et Girofle fait un petit signe de tête et dit, « Avec plaisir, Madame »,
et c'est inscrit dans un livre.

Les clients reviennent encore et encore, et achètent des tas de
choses, malgré la peur que leur inspirent Gingembre et Girofle.

Mais aucun argent ne rentre dans ce qu'on appelle la « caisse ».

Chaque jour, les clients venaient en nombre et achetaient des quantités de choses, surtout les clients à caramels. Mais de l'argent, il n'y en avait jamais ; même pour un sou de pastilles de menthe, ils ne payaient pas.

Cependant, les ventes étaient énormes – dix fois plus que chez Tabitha Tchutchut.

Comme il n'y avait jamais d'argent, Gingembre et Girofle étaient obligés de manger leurs propres marchandises.

Girofle mangeait des biscuits et Gingembre, du haddock séché.

Ils mangeaient à la bougie, après la fermeture de la boutique.

Quand vint le jour de l'an, il n'y avait toujours pas d'argent et Girofle n'avait pas les moyens d'acheter un permis de chien.

« C'est très désagréable, j'ai peur de la police, dit Girofle.

— C'est de ta faute, parce que tu es un fox-terrier ; moi, je n'ai pas besoin de permis, ni Kep, parce que c'est un colley.

— C'est très pénible, j'ai peur d'être convoqué. J'ai essayé, mais en vain, d'obtenir un permis à crédit à la poste, dit Girofle. La zone est pleine de policiers. J'en ai rencontré un en revenant à la maison.

— Envoyons à nouveau sa facture à Samuel le Moustachu, Gingembre, il doit six francs trois sous de bacon.

— Je crois qu'il n'a pas du tout l'intention de payer, répondit Gingembre.

« – Et je suis sûr que Lucie nous
vole des choses – où sont passés
les biscuits craquants ?

– C'est toi-même qui les as
mangés », répliqua Gingembre.

Gingembre et Girofle passèrent dans l'arrière-boutique.

Ils firent leurs
comptes. Ils addition-
nèrent des chiffres,
des chiffres et des
chiffres.

« La facture de Sa-
muel le Moustachu est
maintenant aussi lon-
gue que sa queue ;
depuis octobre, il a
pris cinquante-deux
grammes de tabac à
priser.

– Oui, et aussi sept
livres de beurre à
quatre sous, un bâton
de cire à cacheter et
quatre allumettes !

– Envoyons toutes
les factures à tout le

monde, "avec nos compliments"», répliqua Gingembre.

Peu après, ils entendirent du bruit dans la boutique, comme si on avait poussé quelque chose par la porte. Ils sortirent de l'arrière-boutique. Il y avait une enveloppe, posée sur le comptoir, et un policier écrivant dans un calepin !

Girofle faillit avoir une attaque, il aboya, aboya encore et fit de petits bonds.

« Mords-le, Girofle ! Mords-le ! fulmina Gingembre, derrière un baril de sucre, ce n'est qu'une poupée allemande ! »

Le policier continuait à écrire dans son calepin ; par deux fois, il mit son crayon dans la bouche et, une fois, il le trempa dans la mélasse.

Girofle aboya jusqu'à en être enroué. Mais le policier n'y prenait toujours pas garde. Il avait des yeux en perles et son casque était cousu à gros points.

Finalement, à son dernier petit bond, Girofle s'aperçut que la boutique était vide. Le policier avait disparu.

Mais l'enveloppe était toujours là.

«Crois-tu qu'il soit allé chercher un policier en chair et en os? J'ai peur que ce soit une convocation, dit Girofle.

— Non, répliqua Gingembre, qui avait ouvert l'enveloppe, ce sont les impôts et les taxes, cinquante-six francs et quatre sous.

— Ça c'est le comble, dit Girofle. Dans ce cas, nous allons fermer la boutique ! »

Ils mirent les volets et s'en allèrent. Mais ils restèrent dans les environs. D'ailleurs, certaines personnes auraient préféré qu'ils s'en aillent plus loin.

Gingembre vit dans la garenne. Je ne connais pas son activité actuelle, mais il semble gras et prospère.

Girofle, pour sa part, est garde-chasse.

La fermeture de la boutique causa beaucoup de désagréments.

Tabitha Tchutchut augmenta immédiatement tous ses prix d'un sou, mais toujours sans faire de crédit.

Certes, il y a les mar-
chands ambulants – le
boucher, le poissonnier
et Théodore Boulanger.
Mais on ne peut vivre éter-
nellement de brioches, de
quatre-quarts et de petits
pains au lait – même si le
quatre-quarts est aussi bon
que celui de Théodore.

Peu après, Monsieur Jean Loir et sa fille se mirent à vendre des pastilles de menthe et des chandelles.

Mais ils n'avaient pas de lot de six – et il fallait cinq souris pour

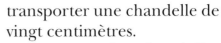

transporter une chandelle de vingt centimètres.

En outre, les chandelles qu'ils vendaient se compor-taient bizarrement par temps chaud.

Et Mademoiselle Loir refusait de reprendre les bouts, quand on revenait avec pour se plaindre.

Et, lorsque l'on se plaignait à Monsieur Loir, il restait au lit et ne disait rien d'autre que « très confortable » ; ce qui n'est pas le bon moyen pour gérer un commerce de détail.

Aussi, tout le monde fut très content lorsque Jenny afficha un prospectus pour annoncer la réouverture de sa boutique – « Vente d'inauguration de Chez Jenny ! Des affaires sensation-nelles ! Des rabais sur tout ! Venez acheter, venez essayer, venez acheter ! »

Le prospectus était vraiment alléchant.

Le jour de l'ouverture, ce fut la ruée. La boutique était pleine de clients et il y avait des foules de souris sur les boîtes de biscuits.

Jenny s'énerve énormément lorsqu'elle essaie de compter sa monnaie, et elle insiste pour être payée en liquide ; mais elle n'est pas méchante. Et elle propose un grand choix de bonnes affaires. Chacun trouve toujours quelque chose pour repartir satisfait.

FIN

MADAME
TROTTE-MENU

1910

À PROPOS
DE CETTE HISTOIRE

Le grand intérêt que portait Beatrix Potter à toutes sortes de créatures, des araignées aux abeilles, est manifeste dans l'histoire de *Madame Trotte-Menu*. En effet, s'il n'y a pas d'humains dans le récit, on y rencontre toute une foule de personnages rampants et grimpants, qui envahissent la maison proprette de Madame Trotte-Menu. À l'origine, Beatrix avait également mis en scène des cloportes, un perce-oreille et un mille-pattes, mais l'éditeur a craint que les deux premières espèces ne fussent déplacées dans un livre pour enfants. Quant au mille-pattes, c'est Beatrix elle-même qui l'a supprimé, pour le remplacer par la très belle image de Mademoiselle Papillon, goûtant le sucre. Elle n'a manifestement tenu aucune rigueur à son éditeur pour les modifications demandées, puisqu'elle a dédicacé le livre à la fille de Harold Warne, Nellie, à qui elle a également offert le manuscrit, pour le nouvel an.

IL ÉTAIT UNE FOIS une souris des bois, qui s'appelait Madame Trotte-Menu. Elle habitait dans un talus sous une haie.

C'était une drôle de maison !

Il y avait des mètres et des mètres de couloirs creusés dans le sable entre les racines de la haie, conduisant à des réserves à provisions et à des entrepôts pour les noix, pour les glands et pour les graines. Il y avait une cuisine, un salon, un office et un garde-manger. Madame Trotte-Menu avait aussi sa chambre, où elle dormait dans un petit lit de buis.

Madame Trotte-Menu était une souris terriblement soignée et méticuleuse. Toute la journée, elle époussetait et balayait le sol sablonneux de sa maison. Quelquefois, un hanneton s'égarait dans le dédale de couloirs. « Pssch ! Pssch ! Sauve-toi avec tes pattes malpropres ! » disait Madame Trotte-Menu en tapant sur sa pelle à poussière.

Un jour, elle vit une vieille dame en manteau rouge à pois noirs trottiner à sa rencontre. « Votre maison a pris feu, Grand-mère Coccinelle ! Volez vite au secours de votre famille ! »

Un autre jour, une grosse et grasse araignée vint s'abriter de la pluie. « Vous demande pardon, je suis bien chez Mademoiselle Moflette ? – Veux-tu t'en aller, vilaine effrontée d'araignée ! Je ne veux pas de tes nids à poussière dans ma jolie maison toute propre ! »

Elle poussa l'araignée dehors ;
celle-ci tissa un long fil pour
descendre le long de la haie.
Madame Trotte-Menu partit
chercher des noyaux de cerises
et des duvets de pissenlit pour
le déjeuner dans une réserve
à provisions assez éloignée.

Tout au long du chemin,
elle renifla et scruta le sol.
« Cela sent le miel ! Serait-ce
le parfum des coucous dehors ?

Et pourtant, ne voilà-t'il pas
des traces de pattes sales ? »
Un peu plus loin, elle tomba
nez à nez avec Babillon Bourdon.
« Bzz, bzz, bzz... » fit-il.
Madame Trotte-Menu lui jeta
un regard sévère. Elle regrettait
de ne pas avoir pris son balai.
« Bonjour, Babillon Bourdon.
Je t'aurais bien volontiers acheté
de la cire.

Mais pourquoi faut-il toujours que tu viennes
par la fenêtre faire tes bzz, bzz, bzz ? »
Madame Trotte-Menu sentait
la colère monter en elle.
« Bzz, bzz, bzz ! » répliqua
le bourdon d'un ton moqueur.
À petits bonds, il entra
dans la réserve à glands.
Madame Trotte-Menu avait
mangé tous les glands avant
Noël ; normalement, la pièce
aurait dû être vide. Or,
elle était remplie de brins
de mousse sèche.
Madame Trotte-Menu arracha
une poignée de mousse. Trois

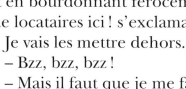

ou quatre têtes d'abeille sortirent en bourdonnant férocement.
« C'est trop fort ! Je ne veux pas de locataires ici ! s'exclama-t-elle.

Je vais les mettre dehors.
– Bzz, bzz, bzz !
– Mais il faut que je me fasse
aider par quelqu'un.
– Bzz, bzz, bzz !
– Je ne peux pas demander
à Monsieur Rodolphe ; il ne s'essuie
jamais les pieds avant d'entrer ! »
Madame Trotte-Menu décida
de s'occuper des abeilles
après le déjeuner. En arrivant
dans son salon, elle entendit
une toux grasse. C'était Monsieur
Rodolphe en personne !

Étalé sur le petit fauteuil
à bascule, il se tournait les pouces
en souriant béatement, les pieds
sur le rebord de la cheminée.
Il habitait derrière la haie,
dans un fossé qui était toujours
humide et boueux.
« Bien le bonjour, Monsieur
Rodolphe ! Mais, dites-moi,
vous êtes bien trempé !

– Merci, merci, chère Madame
Trotte-Menu, je me sèche très bien
et, dans un petit moment, il n'y
paraîtra plus ! » dit M. Rodolphe.

Immobile, il gardait un large
sourire, et l'eau dégoulinait
des pans de son veston.
Madame Trotte-Menu courut
chercher une serpillière.
Il resta assis là si longtemps qu'il
fallut bien lui demander s'il ne
prendrait pas un petit quelque
chose pour le déjeuner.
Madame Trotte-Menu lui offrit
d'abord des noyaux de cerises.

« Merci bien, Madame Trotte-Menu, pas de dents, pas de dents ! »
fit Monsieur Rodolphe, en ouvrant
tout grand la bouche, sans en avoir
été prié pourtant. Il n'avait pas
une seule dent, cela était sûr.
Elle lui proposa alors des duvets
de pissenlit.

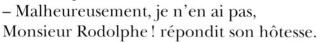

« Coâ, coâ, coâ, pffui, pffui,
pffui... » souffla-t-il en faisant
voler le duvet dans toute la pièce.
« Merci bien, merci bien, chère
Madame Trotte-Menu. Vous savez,
ce qui me ferait vraiment plaisir,
c'est une petite bolée de miel...
– Malheureusement, je n'en ai pas,
Monsieur Rodolphe ! répondit son hôtesse.
– Coâ, coâ, coâ, mais je le sens d'ici ! dit Monsieur Rodolphe

avec un grand sourire,
c'est justement pour cela
que je suis venu. »
Il se leva lourdement,
et commença à fouiner dans
les placards.
Madame Trotte-Menu le suivait
avec un torchon pour essuyer
les traces de ses pieds mouillés.
S'étant assuré qu'il n'y avait pas
de miel dans les placards,
Monsieur Rodolphe s'engagea
dans le couloir.
« Attention, attention,
vous allez rester coincé !
– Coâ, coâ, mais non, mais non,
chère Madame ! »

Il dut s'écraser contre la porte
pour rentrer dans l'office.
« Coâ, coâ, où est le miel,
où est le miel ? »

Trois petites bêtes sortirent
en rampant de l'égouttoir
à vaisselle où elles s'étaient
cachées ; deux réussirent
à s'échapper.

Mais la plus petite fut attrapée
par Monsieur Rodolphe.
Il eut plus de peine encore
à pénétrer dans le garde-manger.
Mademoiselle Papillon y goûtait
le sucre ; elle s'envola par
la fenêtre.
« Coâ, coâ, coâ, vous en avez des
visiteurs, Madame Trotte-Menu !
– Et je n'ai invité personne ! »
répliqua Thomasine Trotte-Menu.

Ils s'enfoncèrent dans les couloirs.
« Coâ, coâ.
– Bzz, bzz, bzz ! » Babillon
Bourdon leur barrait la route.
Monsieur Rodolphe fit mine
de le happer, et le relâcha
aussitôt.
« Je n'aime pas les bourdons :
ils piquent », dit-il en s'essuyant
la bouche du revers de sa manche.
« Ôte-toi de mon chemin, vieux crapaud !
siffla Babillon Bourdon.
– Je vais devenir folle », se lamentait Madame Trotte-Menu.

Elle s'enferma dans le cellier
à noisettes, pendant que
Monsieur Rodolphe s'occupait
du nid d'abeilles.
Apparemment, les piqûres
ne lui faisaient pas peur.
Quand Madame Trotte-Menu
se risqua à sortir, il n'y avait
plus personne.

Mais quel désordre ! « Jamais je n'ai vu ma maison dans un état pareil
– des traînées de miel, de la mousse, des duvets de pissenlit,
des traces de pattes sales partout ! oh, ma pauvre petite maison ! »
gémissait-elle.
Elle ramassa la mousse et ôta les taches de cire.
Puis elle sortit chercher des brindilles pour boucher une partie
de sa porte d'entrée.

« Ce sera trop petit
pour Monsieur Rodolphe,
comme cela ! »
Elle alla chercher du savon mou,
un chiffon propre et une brosse
à parquet toute neuve.
Mais elle était trop fatiguée
pour en faire davantage.

Épuisée, elle s'endormit
sur une chaise et monta ensuite
se coucher.
« Comment viendrai-je à bout
de tout ce désordre ? » se demandait
notre pauvre Madame Trotte-Menu.

Le lendemain matin,
elle se leva à l'aube,
et commença un grand
nettoyage qui ne dura
pas moins de quinze jours.
Elle frotta, balaya,
dépoussiéra. Elle polit
ses meubles à la cire d'abeille,
et nettoya ses petites
cuillères d'étain.

Quand tout fut étincelant
de propreté, elle invita cinq
de ses amis à déjeuner.
Monsieur Rodolphe
n'avait pas été convié.
Alléché par les bonnes
odeurs, il avait passé
le museau par la porte,
mais n'avait pas réussi
à entrer.

Alors, les souris lui passèrent
par la fenêtre des coupelles
de glands remplies de miel,
et il ne fut pas vexé le moins
du monde.
Il était assis au soleil,
et ne cessait de dire :
« Coâ, coâ, coâ, à votre bonne
santé, Madame Trotte-Menu ! »

FIN

PANACHE PETITGRIS

1911

À PROPOS
DE CETTE HISTOIRE

Ses livres rencontrant un grand succès, Beatrix Potter est devenue célèbre non seulement en Grande-Bretagne, mais aussi en Amérique, d'où elle a reçu de nombreuses lettres de lecteurs enthousiastes. L'histoire de *Panache Petitgris* a été écrite pour séduire le public américain, et c'est pourquoi elle met en scène des écureuils gris (originaires d'outre-Atlantique), des tamias et un ours noir. La dédicace elle-même n'est pas individuelle, comme d'habitude, mais plus générale : « À de nombreux petits amis inconnus, sans oublier Monica ». Cette dernière était « l'amie d'école d'une petite cousine, qui est intervenue en sa faveur, et dont le nom m'a fait rêver », a noté plus tard Beatrix.

À cette époque (1911), elle s'occupait beaucoup de sa ferme et soignait ses parents âgés, et *Panache Petitgris* a été pour elle le seul livre de l'année.

IL ÉTAIT UNE FOIS un petit
écureuil plutôt dodu
qui s'appelait Panache Petitgris.
Il habitait un nid tapissé
de feuilles, perché au sommet
d'un grand arbre. Il avait épousé
une dame écureuil appelée
Amande.
Panache Petitgris était assis
sur le pas de sa porte et savourait
l'air léger. Il s'ébroua la queue,
et gloussa : « Ma bonne petite
femme, les noisettes sont mûres !
Il est temps de penser
à nos provisions pour l'hiver
et le printemps prochains. »

Amande Petitgris était occupée
à colmater les fissures du nid
avec de la mousse.
« Notre nid est si douillet que
nous ne nous réveillerons pas
de tout l'hiver.
– Et nous nous retrouverons
tout amaigris au printemps,
quand il n'y a plus rien
à manger nulle part ! » répondit
notre prudent écureuil.

Quand Panache et Amande
arrivèrent en vue des
noisetiers, il y avait déjà
beaucoup de monde
sur la place.
Panache suspendit
sa veste à une branche.
Tranquillement, ils se mirent
à la tâche.

Ils faisaient plusieurs
aller et retour par jour,
et finirent par récolter
une bonne quantité
de noix et de noisettes.
Ils les emportaient
dans de grands sacs, et
les entreposaient au creux
de souches d'arbres
proches de leur maison.

Quand les souches furent pleines à ras bords, ils se mirent à jeter les noisettes dans un tronc d'arbre creux, en les passant par un trou qui avait appartenu autrefois à un pivert. Les noisettes dégringolaient, et s'entassaient au fond de l'arbre. « Comment vas-tu faire pour les retirer de là ? C'est une vraie tirelire, s'inquiétait Amande.

– Je serai beaucoup plus mince au printemps, ma belle ! » répondit Panache, la tête penchée dans le trou. Il faut dire qu'ils avaient amassé une énorme quantité de noisettes,

tout simplement parce qu'ils ne les perdaient pas. Les écureuils qui enterrent leurs noisettes en perdent généralement plus de la moitié, car ils oublient l'endroit où ils les ont cachées. L'écureuil le plus étourdi de toute la forêt s'appelait Touffe d'Argent. Il avait enterré ses réserves, mais il ne se rappelait plus où. Il se mit à creuser, et trouva des noisettes, mais ce n'étaient pas les siennes, ce qui ne manqua pas de provoquer des bagarres. Tous les écureuils se mirent à creuser. Tout le bois était en émoi !

Par malheur, juste au même moment, une volée de moineaux voltigeait de buisson en buisson, à la recherche d'araignées et de chenilles vertes. Il y avait différentes espèces d'oiseaux qui piaillaient, chacun à leur manière.
Le premier chantait :
« Qui-donc-a-pris-mes-noix ? Qui-donc-a-pris-mes-noix ? »
Le deuxième sifflait : « Petit-peu-de-pain-et-pas-d'beurre ! Petit-peu-de-pain-et-pas-d'beurre ! »

Les écureuils levèrent le museau et écoutèrent. Le premier petit oiseau vint se poser sur le buisson près duquel Panache et Amande ficelaient leurs sacs de noisettes. L'oiseau chanta : « Qui-donc-a-pris-mes-noix ? Qui-donc-a-pris-mes-noix ? » Panache Petitgris s'affairait autour des sacs sans répondre. De toute façon, le petit oiseau n'attendait pas de réponse. Il n'avait fait que fredonner son chant à lui qui ne signifiait rien du tout.

Mais les autres écureuils avaient entendu le cri de l'oiseau. Ils se jetèrent sur Panache Petitgris, le griffèrent, le bousculèrent et renversèrent son sac de noisettes. Devant ce spectacle, qu'il avait bien innocemment provoqué, le petit oiseau s'envola, effrayé. Panache roula sur lui-même, retomba sur ses pattes et courut comme un fou vers son nid, poursuivi par une nuée d'écureuils qui criaient à tue-tête : « Qui-donc-a-pris-mes-noix ? »

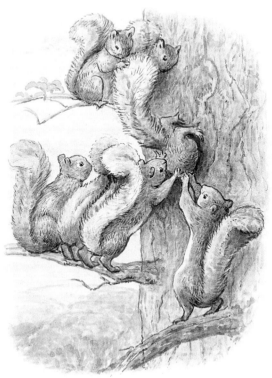

Ils finirent par attraper Panache, et le traînèrent au pied d'un grand arbre ; c'était justement l'arbre au trou de pivert. Ils décidèrent de l'enfermer à l'intérieur. Mais le trou était beaucoup trop petit : les écureuils durent pousser de toutes leurs forces – c'est merveille qu'ils ne lui aient pas brisé les os. « On va le laisser là jusqu'à ce qu'il avoue », dit Touffe d'Argent, qui passa sa tête par le trou en criant : « Qui-donc-a-pris-mes-noix ? »

Mais ils n'obtinrent pas
de réponse. Panache Petitgris
était tombé tout au fond
de l'arbre, sur l'épais tapis
de ses propres noisettes.
Étourdi par le choc,
il ne bougeait presque plus.
Amande Petitgris, qui avait
ramassé les sacs de noisettes,
s'en revint à la maison.
Elle prépara une tasse de thé
pour Panache, mais il tardait
à arriver. Le soir venu, il n'était
toujours pas là.

Amande passa une nuit
solitaire pleine d'angoisse.
Le lendemain, elle prit
son courage à deux mains,
et retourna vers les buissons
de la veille. Mais les méchants
écureuils l'empêchèrent
d'avancer. Elle rebroussa
chemin, et s'aventura
dans la forêt en appelant :
« Panache Petitgris ! Panache
Petitgris ? Où es-tu, Panache
Petitgris ? »

Pendant ce temps, Panache était revenu à lui. Il se retrouva tout endolori, couché dans un petit lit de mousse. Il faisait sombre. « Je suis sans doute sous terre », pensa-t-il. Il toussa, ce qui lui arracha un gémissement, car ses côtes lui faisaient mal. Alors, il entendit un petit bruit, et vit apparaître une lampe à huile suivie d'un jeune tamia rayé, qui lui demanda s'il se sentait mieux. Croquet le tamia fut très gentil avec Panache. Il lui prêta son bonnet de nuit… et sa maison ne manquait pas de provisions. Le tamia expliqua à Panache qu'il

avait plu des noix et des noisettes dans l'arbre toute la journée. « Et en plus, j'en ai même trouvé qui avaient été enterrées ! » Il éclata de rire en entendant le récit de Panache. Pendant tout le temps où l'écureuil dut rester au lit, Croquet le força à manger pour reprendre des forces.

« Mais comment sortirai-je du trou de cet arbre si je ne maigris pas ? se demandait Panache. Et ma femme doit être très inquiète… – Mais non, allez, encore une petite noisette ! laissez-moi vous la casser », disait le tamia. Panache Petitgris grossissait à vue d'œil.

Amande Petitgris s'était remise au travail, toute seule. Elle avait décidé de ne pas remettre de noisettes dans le trou du pivert, parce qu'elle n'était toujours pas convaincue de pouvoir les récupérer par la suite. Elle les cacha donc sous les racines d'un arbre. Les noisettes tombaient en cascade en s'entrechoquant. Soudain, alors qu'Amande vidait un gros sac, elle entendit un cri perçant. Quelques instants plus tard, elle commençait à vider un autre sac, quand elle aperçut un petit tamia sortir des racines en toute hâte.

« C'est plein à craquer de haut en bas ; le salon est plein, elles roulent dans le couloir, et mon mari, Croquet, qui m'abandonne !

M'expliquerez-vous enfin pourquoi ce déluge de noix ?

– Je suis vraiment désolée, je vous assure, dit Madame Petitgris. J'ignorais que quelqu'un habitait ici. Mais où est Monsieur Croquet ? Figurez-vous que mon mari, Panache Petitgris, est parti, lui aussi.

– Je sais où est Croquet : un petit oiseau me l'a dit. »

Madame Croquet conduisit
Amande devant l'arbre
au pivert. Là, elles collèrent
toutes les deux l'oreille contre
le tronc. On entendait, sur un
fond de bruits de casse-noix,
la voix d'un gros écureuil,
et celle d'un écureuil plus petit,
qui chantaient ensemble :

> *Mon homme et moi,*
> *   nous nous sommes disputés,*
> *Comment faire, pour régler*
> *   l'affaire, régler l'affaire ?*
> *Faites en sorte que tout s'apaise ;*
> *À Dieu ne plaise,*
> *Qu'il reste là à me bouder !*

« Vous pourriez peut-être
vous glisser par ce petit trou ?
suggéra Amande.
– Oui, sans doute, mais
vous savez, mon mari peut
mordre ! »
Tout en bas, il y eut des bruits
de coquilles cassées
et de grignotements.
Puis la grosse et la petite voix
chantèrent en chœur :

> *Vive la bonne chère, chère !*
> *Tout le long de la journée,*
> *Jusque-là je m'en mettrai !*

Alors Amande pencha
la tête dans le trou et appela :
« Panache Petitgris ? Est-ce toi
qui fais tout ce tapage ? »
Et Panache répondit :
« Est-ce toi, Amande ? mais oui,
je suis là ! » Il grimpa
à sa hauteur et sortit la tête
du trou pour l'embrasser.
Mais il était trop gros pour sortir.
Croquet était beaucoup moins
gros, mais il refusa de sortir.
Il resta en bas à ricaner.

Cette situation se prolongea
pendant quinze jours.
Et puis, tout à coup,
une tempête se leva ;
le haut de l'arbre
fut complètement arraché,
et le trou, agrandi
du même coup, laissait
entrer la pluie.
Panache Petitgris put donc
sortir et rentrer chez lui
à l'abri d'un parapluie.

Croquet, quant à lui,
tint absolument à camper
dans l'arbre une semaine
de plus, bien que l'endroit
fût loin d'être confortable.

Un ours qui se promenait
dans la forêt passa par là.
Peut-être cherchait-il
des noisettes lui aussi ?
En tout cas, il avait l'air
de humer une odeur
alléchante.

Croquet courut se réfugier chez lui sans demander son reste.

De retour chez lui, Croquet s'aperçut qu'il avait bel et bien attrapé un rhume de cerveau ; il se sentait de plus en plus malade.

À partir de ce jour, Panache et Amande Petitgris gardèrent
leurs provisions dans un local fermé à clé avec un petit cadenas.

Dès que le petit oiseau aperçoit des tamias, il se met à chanter :
« Qui-donc-a-pris-mes-noix ? » Mais plus jamais personne
ne lui répond !

FIN

L'aventure
de Monsieur Tod

1912

À PROPOS
DE CETTE HISTOIRE

En publiant cette histoire, Beatrix Potter a manifesté sa lassitude des livres « gentils et vertueux sur des gens charmants ». Ses principaux personnages, Monsieur Tod (ancien terme saxon pour « renard ») et Ernest Blaireau (Tommy Brock, d'un nom régional pour « blaireau ») ne sont pas très sympathiques, bien que l'histoire connaisse une fin heureuse. Le livre ne comprend guère d'images en couleurs car Beatrix manquait de temps pour peindre. En revanche, elle a intégré des illustrations en noir et blanc dans le style des gravures sur bois. La scène se passe à Sawrey ; la colline du Taureau, où Monsieur Tod a son territoire d'hiver, était un pâturage de Castle Farm, et l'on voit aussi la rivière Esthwaite dans certaines images. *Monsieur Tod* a été dédicacé à « Francis William of Ulva – dans quelque temps ! » – c'était le bébé de la cousine de Beatrix, Caroline Hutton, qui avait épousé le Laird of Ulva.

J'AI ÉCRIT BEAUCOUP DE LIVRES sur des personnes bien élevées. Pour changer un peu, je vais vous raconter l'histoire de deux personnages désagréables, appelés Ernest Blaireau et Monsieur Tod, le renard.

Personne ne disait du bien de Monsieur Tod. Les lapins ne pouvaient pas le supporter ; ils le flairaient déjà à un demi-kilomètre à la ronde. Monsieur Tod avait l'habitude de se promener en flânant. Il avait des moustaches rousses. Eux, les lapins ne savaient jamais où il allait.

Un jour il habitait une cabane de branchages, dans la futaie, à la grande frayeur de la famille du vieux Monsieur Jean Lapin Père. Le lendemain, il déménageait dans un vieux saule, près du lac, terrorisant les canards sauvages et les rats d'eau.

En hiver et au début du printemps, on le trouvait généralement dans une tanière, coincée parmi les rochers, tout en haut de la colline du Taureau, près des falaises.

Il avait une demi-douzaine de résidences, mais il était rarement chez lui.

Cependant ses maisons n'étaient pas toujours vides quand il ne les habitait pas ; en effet, Ernest Blaireau les occupait parfois (sans y avoir été invité).

Ernest Blaireau était un petit animal aux poils ras, court sur pattes, qui marchait en se dandinant, un large sourire fendant sa lèvre grimaçante. Il était très mal élevé. Il se nourrissait de nids de guêpes, de grenouilles, de vers de terre et de différentes choses qu'il déterrait la nuit.

Ses habits étaient très sales et, comme il dormait la journée, il allait toujours au lit chaussé de ses bottes. Le lit dans lequel il choisissait de dormir était généralement celui de Monsieur Tod.

Ernest Blaireau mangeait occasionnellement du pâté de lapin ; il s'agissait d'ailleurs, occasionnellement, de très jeunes lapereaux, lorsque la nourriture se faisait vraiment rare. Il entretenait de bonnes relations avec le vieux Monsieur Jean Lapin Père ; tous deux détestaient les méchantes loutres, et Monsieur Tod ; ils parlaient fréquemment de ce sujet délicat.

Le vieux Monsieur Lapin Père était éprouvé par son grand âge. Il s'asseyait devant son terrier, profitant du soleil du printemps, emmitouflé dans une écharpe, en fumant du tabac de lapin. Il habitait avec son fils Jeannot, sa bru Flopsaut et leurs enfants.

Cet après-midi-là, le vieux Monsieur Lapin gardait les enfants, car Flopsaut et Jeannot étaient sortis faire des courses.

Les bébés lapereaux étaient à peine assez âgés pour ouvrir leurs yeux bleus et donner quelques coups de patte. Ils dormaient sur un lit moelleux, fait de poils de lapin et de foin, dans un terrier peu profond, séparé du terrier principal. À dire vrai, le vieux Monsieur Lapin les avait oubliés.

Assis au soleil, il bavardait agréablement avec Ernest Blaireau qui passait par le bois avec son sac de toile, la petite pelle qu'il utilisait

pour creuser le sol et quelques pièges à taupe. Ce dernier se plaignait amèrement de la rareté des œufs de faisans et soupçonnait Monsieur Tod de les braconner. Les loutres avaient par ailleurs attrapé toutes les grenouilles pendant qu'il hibernait. « Je n'ai pas fait un seul bon repas depuis quinze jours. Il va falloir que je devienne végétarien, ou que je mange ma propre queue ! » disait Ernest Blaireau.

Ce n'était pas tellement drôle, mais cela amusa cependant le vieux Monsieur Lapin Père : Ernest Blaireau était si gras, si court, si grimaçant...

Le vieux Monsieur Lapin Père souriait ; il invita Ernest Blaireau à entrer dans son terrier pour goûter une tranche de gâteau de graines

et « un verre de l'excellent vin de bouton d'or de ma fille Flopsaut ». Ernest Blaireau se contorsionna agilement pour entrer dans le terrier.

Puis Monsieur Jean Lapin fuma une autre pipe et donna à Ernest Blaireau un cigare de feuille de chou si fort que celui-ci grimaça encore plus fort que d'habitude ; la fumée remplissait le terrier. Le

vieux Monsieur Lapin Père toussait et riait ; Ernest Blaireau pouffait et
grimaçait. Le vieux Monsieur Jean
Lapin riait et toussait de plus belle, fermant les yeux à cause de la fumée de la
feuille de chou...

Quand Jeannot Lapin et Flopsaut
revinrent, le vieux Monsieur Lapin Père
se réveilla. Ernest Blaireau et tous les
petits bébés lapereaux avaient disparu !

Monsieur Jean Lapin ne voulait pas
avouer qu'il avait fait entrer quelqu'un dans le terrier. Mais il flottait
une indéniable odeur de blaireau. Il y avait aussi de grosses marques

de pas ronds sur le sable. Il était pris en faute ; Flopsaut lui tordit les oreilles et lui donna des tapes.

Jeannot Lapin se mit immédiatement à la recherche d'Ernest Blaireau. Celui-ci n'était pas très difficile à pister : il avait laissé des empreintes de pas en suivant tranquillement le sentier sinueux qui traversait la forêt. Là, il avait arraché de la mousse ou de l'oseille ; ici, il avait creusé un gros trou pour déraciner des mauvaises herbes ou poser un piège à taupe.

Un petit ruisseau coupait le chemin. Jeannot l'enjamba d'un bond. De l'autre côté, les traces de pas boueux du blaireau montraient clairement la route à suivre. Le chemin arriva bientôt à un bosquet dont les arbres avaient été taillés ; il ne restait plus là que les souches de chênes feuillus, et un tapis de jacinthes bleues. L'odeur qui arrêta Jeannot Lapin ne fut pas celle des fleurs ! Il se trouvait juste en face de la cabane de branchages de Monsieur Tod et, pour une fois, le propriétaire était chez lui. L'odeur de renard le prouvait – mais aussi la fumée qui sortait du toit par le pot cassé installé en guise de cheminée.

Jeannot Lapin s'assit sur son derrière, médusé ; ses moustaches frissonnaient. À l'intérieur de la cabane, quelqu'un fit tomber une assiette en disant quelque chose. Jeannot sauta sur ces pattes et détala.

Il ne s'arrêta pas avant d'avoir atteint l'autre extrémité du bois. Apparemment, Ernest Blaireau avait suivi le même chemin. En haut du mur, il avait laissé des traces de son passage ; et des lambeaux de toile arrachés d'un sac étaient restés accrochés dans les ronces.

Sautant par-dessus le mur, Jeannot se retrouva dans une prairie. Il découvrit un autre piège à taupe, fraîchement installé ; il était donc toujours sur la piste d'Ernest Blaireau. L'après-midi était bien avancé. Des lapins sortaient de leurs terriers pour profiter de la fraîcheur. L'un d'eux, solitaire, vêtu d'une veste bleue, s'affairait à chercher des pissenlits.

« Cousin Pierre, Pierre Lapin, Pierre Lapin ! » cria Jeannot Lapin.

Le lapin en veste bleue se redressa, les oreilles tendues. « Que se passe-t-il, cousin Jeannot ? C'est un chat ? Ou bien, Jean Hermine le Furet ?

– Non, non, non ! C'est Ernest Blaireau. Mes enfants, il les a mis dans un sac. Tu ne l'as pas vu ?

– Ernest Blaireau ? Combien de petits, cousin Jeannot ?

– Sept, cousin Pierre, et rien que des jumeaux ! Il est passé par là ? Dis-moi vite !

– Oui, oui, il n'y a pas dix minutes... Il a dit qu'il transportait des chenilles ; j'ai trouvé qu'elles étaient bien remuantes, pour des chenilles.

– Il est parti par où, cousin Pierre ?

– Il avait un sac avec quelque chose de vivant dedans ; je l'ai vu poser un piège à taupes. Laisse-moi réfléchir, cousin Jeannot ; et d'abord, dis-moi tout depuis le début. »

Jeannot raconta son histoire.

« Mon oncle Jean Lapin a fait preuve d'un manque de bon sens lamentable pour son âge, dit Pierre d'un air songeur. Mais il y a deux raisons d'espérer. Tes enfants sont bien en vie ; et Ernest Blaireau a dîné. Il va probablement aller se coucher et les garder pour le petit déjeuner.

– Où ?

– Cousin Jeannot, calme-toi. Je sais très bien où. Puisqu'il a vu Monsieur Tod dans la cabane de branchages, Ernest Blaireau est allé dans l'autre maison, en haut de la colline du Taureau. J'en suis pratiquement certain, car il m'a demandé si j'avais un message pour ma sœur Queue-de-Coton, puisqu'il devait passer près de chez elle. » (Queue-de-Coton avait épousé un lapin noir et habitait en haut de la colline.)

Pierre enterra ses pissenlits et accompagna son pauvre cousin, qui avait l'air tout retourné. Ils traversèrent plusieurs champs et commencèrent l'ascension de la colline ; les traces du passage d'Ernest Blaireau étaient nettement visibles. Il avait déposé le sac presque tous les dix mètres, pour se reposer.

« Il doit être très essoufflé ; d'après l'odeur, nous ne sommes plus très loin. Quel horrible individu ! » dit Pierre.

Le soleil, encore chaud, se couchait sur les pâturages. À mi-hauteur de la colline, Queue-de-Coton était sur le pas de sa porte. Quatre ou cinq petits lapins jouaient autour d'elle ;

l'un d'eux était noir, les autres marron.
Effectivement, elle avait vu Ernest
Blaireau passer au loin. Les deux lapins
lui demandèrent si son mari était à la
maison, mais elle répondit qu'Ernest
Blaireau s'était reposé deux fois pendant qu'elle le regardait.

Il avait même hoché la tête et, en
jetant un regard vers le sac, il avait eu
l'air de s'étouffer de rire. « Viens vite, Pierre ; il doit être en train de les
faire cuire. Allez, plus vite ! »

Ils grimpèrent en haut de la colline. « Je suis sûr qu'il est là ; j'ai vu
pointer ses oreilles... Quelle chance d'habiter ces rochers ; aucune
chance d'avoir la moindre querelle de voisins ! »

Arrivés à proximité du bois qui se trouvait au sommet de la colline, ils
ralentirent leur allure. Les arbres poussaient dans un amoncellement
de rochers. C'est sous l'un d'eux que Monsieur Tod avait installé l'une
de ses résidences. Au bord d'une falaise abrupte, elle était perdue dans
les broussailles. Les lapins marchaient maintenant sur la pointe des pattes, tendant l'oreille et parlant doucement. Cette maison avait quelque

chose d'une caverne, d'une prison et
d'une porcherie en ruine. Elle avait
une lourde porte, fermée et verrouillée. Illuminées par le soleil couchant,
les vitres des fenêtres paraissaient rou-
gies par des flammes. La cheminée de
la cuisine n'était pas allumée, mais des
bûches y étaient soigneusement entas-
sées, comme le constatèrent les lapins
en regardant par la fenêtre. Jeannot
poussa un soupir de soulagement.

Pourtant, certains préparatifs sur la table de la cuisine les firent frémir :
une énorme terrine à pâté, décorée de feuilles bleues, un grand couteau à découper, une fourchette et un hachoir à viande. À l'autre bout

de la table, on voyait une nappe à moitié dépliée, une assiette, un verre, un couteau et une fourchette, une salière, de la moutarde, une chaise.

Bref, tout ce qui était nécessaire au repas d'une personne.

En revanche, pas la moindre trace d'une quelconque présence : la cuisine était vide et silencieuse ; l'horloge même s'était arrêtée. Pierre et Jeannot pressaient leur museau contre la vitre de la fenêtre, essayant de percer l'obscurité de la pièce.

Alors, voulant voir l'autre côté de la maison, ils la contournèrent en escaladant les rochers. L'endroit était humide et malodorant, envahi d'épines et de bruyères. Les lapins frissonnaient d'angoisse.

« Mes pauvres bébés lapins ! Quel sinistre endroit… Je ne les reverrai jamais ! » soupira Jeannot.

Ils se glissèrent vers la fenêtre de la chambre. Elle était verrouillée comme celle de la cuisine. Mais des signes montraient qu'elle avait été récemment ouverte : des toiles d'araignées déchirées, des traces de pattes boueuses sur le rebord.

L'intérieur de la chambre était si sombre qu'ils ne purent d'abord rien distinguer ; mais ils entendirent un bruit : un ronflement lent, profond et régulier.

Comme leurs yeux s'accoutumaient à l'obscurité, ils distinguèrent une silhouette allongée sur le lit de Monsieur Tod, recroquevillée sous les couvertures. « Il s'est couché avec ses bottes », murmura Pierre.

Jeannot, tremblant de la tête aux pieds, bouscula Pierre pour voir à son tour.

Depuis le lit de Monsieur Tod, les ronflements d'Ernest Blaireau reprenaient, en grognements réguliers. Aucune trace des petits lapins nulle part. Le soleil s'était couché. Une chouette commença à huluter dans les bois.

Il y avait un tas de choses épouvantables – qu'il aurait mieux valu enterrer – étalées partout sur le sol : des os de lapins, des crânes, des pattes de poulet et autres horreurs. Cet endroit était révoltant et sinistre.

Ils retournèrent devant la maison et essayèrent par tous les moyens de faire céder les verrous de la fenêtre. Ils enfoncèrent un clou rouillé sous le châssis ; cela ne servit à rien, surtout sans lumière.

Ils s'assirent côte à côte devant la fenêtre, écoutant et parlant tout bas.

Une demi-heure plus tard, la lune apparut au-dessus des bois. Une belle lune pleine et lumineuse qui éclairait la maison perdue dans les rochers et... la fenêtre de la cuisine. Hélas, on ne voyait toujours pas les petits bébés lapins !

Les rayons de lune faisaient briller la lame du couteau et la terrine de pâté, et dessinaient une ligne lumineuse sur le parquet poussiéreux.

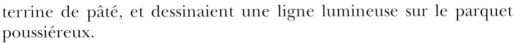

La lune éclairait aussi une petite porte dans le mur, à côté de la cheminée – la porte métallique d'un four en brique, de ces fours anciens que l'on chauffait avec des fagots de bois.

Au même moment, Pierre et Jeannot remarquèrent tous deux qu'à

chaque fois qu'ils secouaient la fenêtre, la petite porte semblait répondre en bougeant, elle aussi. Les bébés lapins étaient donc là, vivants, enfermés dans le four !

Jeannot Lapin était si excité qu'il s'en fallut de peu pour qu'il ne réveille Ernest Blaireau, qui continuait à ronfler solennellement dans le lit de Monsieur Tod.

Mais leur découverte était loin d'être réconfortante. Ils ne pouvaient pas ouvrir la fenêtre ; et, même si les enfants étaient vivants, ils étaient incapables de sortir de là tout seuls : ils étaient trop petits pour pousser la porte du four.

Après avoir parlé un long moment à voix basse, Pierre et Jeannot décidèrent de creuser un tunnel. Ils commencèrent à faire un trou de un ou deux mètres de profondeur. Ils espéraient pouvoir se frayer un passage entre les grosses pierres jusqu'au sous-sol de la maison ; le plancher de la cuisine était si sale qu'il était impossible de savoir s'il était fait de terre battue ou de dalles.

Ils creusèrent pendant des heures et des heures. Ils avaient du mal à avancer droit à cause des pierres. Néanmoins, à la fin de la nuit, ils avaient atteint le sol de la cuisine. Jeannot était sur le dos, grattant la terre au-dessus de lui. Les griffes de Pierre étaient complètement émoussées. Il était à l'extérieur du tunnel pour évacuer le sable. Il cria que le jour s'était levé et que les geais faisaient un grand vacarme dans les bois.

Jeannot Lapin sortit de l'obscur tunnel et secoua ses pattes pleines de sable ; il se nettoya le museau. Au sommet de la colline, le soleil devenait plus chaud de minute en minute. Dans la vallée, une nappe de léger brouillard s'étalait, et seuls en émergeaient, tout mordorés par le soleil, les faîtes des arbres.

Plus bas, dans les champs recouverts de brouillard, les cris furieux des geais retentirent à nouveau, suivis d'un glapissement rauque de renard !

Alors, les deux lapins perdirent complètement la tête. Ils agirent de la manière la plus absurde possible. Ils se précipitèrent dans le tunnel qu'ils venaient de creuser et se cachè-rent à son extrémité, juste en dessous de la cuisine de Monsieur Tod.

Monsieur Tod, de très mauvaise humeur, remontait la colline.

D'abord, il était contrarié d'avoir cassé une assiette. C'était sa faute. Cette assiette de porcelaine était la dernière du service de sa grand-mère, la vieille Renarde rousse. Ensuite, les moucherons n'étaient pas bons. Et

puis, il s'en était fallu d'un rien qu'il attrapât une poule faisane dans son nid ; un nid qui ne contenait que cinq œufs, dont deux étaient pourris. Monsieur Tod avait passé une nuit exécrable.

Comme d'habitude lorsqu'il était de mauvaise humeur, il avait décidé de déménager. Il essaya d'abord le saule ; mais il était humide, et les loutres avaient laissé un poisson mort à proximité. Monsieur Tod ne supportait que ses propres restes. Il se dirigea donc vers la colline. Son humeur ne fit qu'empirer lorsqu'il reconnut, sans aucun doute possible, des traces de blaireau : il n'y avait qu'Ernest Blaireau pour fouiller le sol de façon si désordonnée.

Écumant de rage, Monsieur Tod, martela le sol de son bâton : il avait deviné où Ernest Blaireau était allé. Il fut encore un peu plus agacé par un geai qui le poursuivait avec insistance.

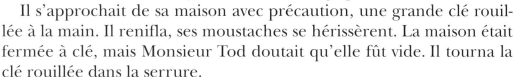

Il volait d'arbre en arbre en piaillant à tue-tête pour prévenir tous les lapins aux alentours qu'un chat ou un renard approchait. Alors que l'oiseau survolait sa tête en criant, Monsieur Tod essaya de le mordre et glapit.

Il s'approchait de sa maison avec précaution, une grande clé rouillée à la main. Il renifla, ses moustaches se hérissèrent. La maison était fermée à clé, mais Monsieur Tod doutait qu'elle fût vide. Il tourna la clé rouillée dans la serrure.

Les lapins l'entendirent au-dessus d'eux. Il ouvrit doucement la porte et entra.

Le spectacle offert aux yeux de Monsieur Tod, dans la cuisine de Monsieur Tod, rendit Monsieur Tod furieux. Il vit la chaise de Monsieur Tod, la terrine à pâté de Monsieur Tod, son couteau, sa fourchette, sa moutarde, sa salière et sa nappe qu'il avait rangée, bien pliée dans le placard, tout cela préparé à l'évidence pour le dîner, ou le petit déjeuner, de l'odieux Ernest Blaireau.

L'odeur de la terre fraîche et de blaireau dégoûtant couvrait tout à fait, par bonheur, l'odeur de lapin.

Cependant, ce qui retenait vraiment l'attention de Monsieur Tod était ce ronflement, ou plutôt ce grognement régulier et profond qui provenait de son propre lit. Il jeta un coup d'œil par la porte entrouverte de la chambre. Puis il tourna sur lui-même, et sortit en hâte de la maison. Ses moustaches frémissaient et, jusqu'au col de sa veste, il était raide de rage.

Pendant les vingt minutes qui suivirent, Monsieur Tod ne cessa d'entrer prudemment dans la maison et d'en ressortir précipitamment. À chaque fois, il s'aventurait plus avant – droit dans la chambre. Quand il ressortait, il grattait furieusement la terre. Quand il rentrait, il n'aimait pas du tout l'aspect des dents d'Ernest Blaireau.

Celui-ci était allongé sur les dos, la bouche ouverte, son visage fendu d'un large sourire. Il ronflait tranquillement, régulièrement. Mais il gardait un œil entrouvert.

Monsieur Tod continuait ses allées et venues dans la chambre. Une fois, il y laissa son bâton. Une autre fois, il y apporta le seau à charbon que, réflexion faite, il se décida à reprendre.

Quand il revint dans la chambre après avoir repris le seau, Ernest Blaireau s'était légèrement tourné sur le côté ; mais il semblait encore plus profondément endormi. Cet individu était d'une indolence incu-

rable. Il n'avait pas du tout peur de Monsieur Tod ; il était tout simplement trop paresseux et trop confortablement installé pour bouger.

Monsieur Tod revint, une fois de plus, dans la chambre, muni, cette fois, d'une corde à linge. Il prit une minute pour observer Ernest Blaireau et écouter attentivement les ronflements. Ils étaient en effet très bruyants mais semblaient parfaitement naturels.

Monsieur Tod fit le tour du lit et ouvrit la fenêtre ; elle grinça. Il se retourna d'un bond.

Ernest Blaireau, qui avait ouvert un œil, le referma vite. Les ronflements reprirent.

Monsieur Tod se conduisait de façon étrange ; il n'était pas à son aise – il faut dire que le lit se trouvait entre la fenêtre et la porte de la chambre. Il ouvrit la fenêtre, glissa au-dehors la plus grande partie de la corde à linge. Il lui en restait un petit bout dans la main, muni d'un crochet à son extrémité.

Ernest Blaireau ronflait consciencieusement. Monsieur Tod l'écouta en le regardant quelques instants ; puis il sortit.

Ernest Blaireau ouvrit les deux yeux, regarda la corde et grimaça. Il y eut un bruit dehors, derrière la fenêtre. Ernest Blaireau se dépêcha de fermer les yeux.

Monsieur Tod était sorti par le devant de la maison dont il avait fait le tour. Au passage, il avait trébuché sur l'entrée du tunnel. S'il avait su qui se trouvait à l'intérieur, il les aurait délogés rapidement.

Sa patte s'enfonça dans le tunnel, juste au-dessus des têtes de Pierre Lapin et de Jeannot. Fort heureusement, Monsieur Tod pensa qu'il s'agissait encore d'une œuvre d'Ernest Blaireau.

Il attrapa le bout de corde à linge

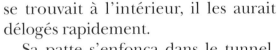

sur l'appui de la fenêtre, tendit l'oreille un moment et attacha la corde à un arbre.

Ernest Blaireau l'observait d'un œil par la fenêtre. Il était déconcerté.

Monsieur Tod remplit un grand seau d'eau à la source qu'il porta en chancelant dans la cuisine, puis dans la chambre.

Des grognements entrecoupaient maintenant les ronflements d'Ernest Blaireau.

Monsieur Tod posa le seau à côté du lit, prit le bout de corde muni d'un crochet, hésita et contempla Ernest Blaireau. Les ronflements étaient quasiment apoplectiques ; mais le sourire était moins large.

Monsieur Tod monta avec précaution sur une chaise près de la tête du lit. Ses jambes approchaient dangereusement des dents d'Ernest Blaireau.

Il leva les bras et attacha le crochet au baldaquin du lit, à l'endroit où l'on suspendait habituellement les rideaux.

(Lorsqu'il était absent, Monsieur Tod pliait et rangeait toujours les rideaux, ainsi que le dessus-de-lit. Ernest Blaireau dormait seulement sous une couverture.)

En équilibre instable sur la chaise, Monsieur Tod jeta un coup d'œil sur le dormeur. Vraiment, celui-ci méritait un premier prix de sommeil de plomb !

On aurait dit que rien ne pouvait le réveiller, pas même la corde qui passait en travers du lit.

Monsieur Tod descendit lentement de la chaise et entreprit d'y remonter avec le seau d'eau. Il avait l'intention de le suspendre au crochet, afin qu'il se balance au-dessus de la tête d'Ernest Blaireau, de manière à installer une sorte de douche actionnée par la corde qui passait par la fenêtre.

Cependant, étant par nature doté de jambes très fines – et bien que portant des moustaches blondes et vindicatives –, Monsieur Tod était incapable de soulever le seau jusqu'au crochet. Il faillit d'ailleurs perdre l'équilibre.

Les ronflements devenaient de plus en plus apoplectiques. L'une des jambes arrière de Thomas Blaireau remua même sous la couverture, mais il dormait toujours sagement.

Néanmoins, Monsieur Tod et le seau descendirent sans encombre de la chaise. Après mûre réflexion, il vida de l'eau dans une cuvette et un pot. Le seau n'était plus aussi lourd à porter ; Monsieur Tod le suspendit. Le seau se balançait au-dessus d'Ernest Blaireau.

Franchement, quel sommeil de plomb ! Monsieur Tod n'arrêtait pas de monter sur la chaise et d'en redescendre.

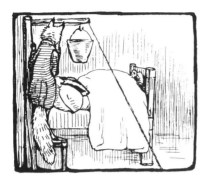

Comme il n'avait pu monter le seau plein à ras bord, il le remplissait petit à petit à l'aide d'un pot à lait.

Le seau se remplissait maintenant à vue d'œil ; il oscillait comme une pendule et, parfois, une goutte en jaillissait. Ernest Blaireau ronflait avec régularité et ne bougeait toujours pas – son œil mis à part.

Monsieur Tod termina enfin ses préparatifs. Le seau était rempli d'eau froide ; la corde, qui passait par la fenêtre, était bien tendue au-dessus du lit jusqu'à l'arbre situé derrière la maison.

« Cela va faire un drôle de cham-
bardement dans ma chambre ; mais
c'est vrai que je n'aurais jamais pu
redormir dans ce lit sans un sérieux
nettoyage ! » se dit Monsieur Tod.

Monsieur Tod jeta un dernier coup
d'œil sur le blaireau et quitta prestement la pièce.

Il sortit et ferma la porte d'entrée.
Les lapins entendirent ses pas résonner sur le tunnel.

Il contourna la maison, pensant détacher la corde pour que le seau
d'eau se renverse sur Ernest Blaireau.

« Cette désagréable surprise va le réveiller », pensa Monsieur Tod.

À la seconde où le renard sortit,
Ernest Blaireau se leva d'un bond. Il
roula la robe de chambre de Monsieur
Tod en boule, la plaça sur le lit, à la
place qu'il occupait, puis il quitta lui
aussi la pièce. Son visage affichait un
large sourire.

Il alla dans la cuisine, alluma du feu
et fit chauffer la bouilloire ; les bébés
lapins ne l'intéressaient pas pour le
moment.

Quand Monsieur Tod atteignit l'arbre, il découvrit que la corde était
si tendue par le poids du seau que le
nœud était impossible à défaire. Il
fut obligé de la ronger avec ses dents.
Il rongea et mordilla pendant plus
de vingt minutes.

Enfin la corde céda avec une
impulsion si violente qu'elle lui arracha presque les dents et faillit le faire
tomber à la renverse.

Il y eut un grand vacarme dans la maison : tout d'abord le fracas d'une chute d'eau, puis le bruit métallique d'un seau qui n'en finissait pas de rouler... Aucun cri, pourtant.

Monsieur Tod était perplexe ; assis sur ses pattes arrière, il écoutait attentivement.

Puis il s'approcha de la fenêtre. Il vit de l'eau dégouliner du lit ; le seau avait roulé dans un coin.

Au milieu du lit, sous la couverture, il y avait pourtant quelque chose d'aplati, quelque chose de tout trempé et d'aspect répugnant, à l'endroit où l'eau s'était déversée (on aurait pu croire qu'il s'agissait d'un ventre). La tête de la chose était cachée par la couverture détrempée, mais cela ne ronflait plus. Rien ne bougeait, il n'y avait plus d'autre bruit que le ploc, ploc, ploc de l'eau qui dégoulinait.

Monsieur Tod contempla ce spectacle pendant une demi-heure ; ses yeux étincelaient de joie. Il exécuta enfin quelques cabrioles et s'enhardit même jusqu'à aller frapper au carreau ; mais le quelque chose ne bougeait toujours pas.

Oui – il pouvait en être certain – tout s'était passé bien mieux qu'il ne l'avait imaginé : le seau était tombé sur le pauvre Ernest Blaireau et l'avait tué sur le coup !

« Je vais enterrer cet infâme animal dans le trou qu'il a creusé. Et il faut que je sorte ma couverture pour la faire sécher au soleil, se dit Monsieur Tod. Je vais laver la nappe et l'étaler dans l'herbe pour que le soleil la blanchisse. La couverture doit être étendue sur une corde bien exposée au vent. Je dois aussi désinfecter le lit à fond, le sécher avec une bassinoire et le chauffer avec une bouillotte brûlante.

Je vais acheter du savon noir, du savon de Marseille, toutes sortes de savons ; de la soude et des brosses de chiendent ; de la terre de Sommières ; et du camphre pour ôter l'odeur. Il faut que je désinfecte. Peut-être en brûlant du soufre ? »

Il se précipita de l'autre côté de la maison pour chercher une pelle dans la cuisine. « Je vais d'abord m'occuper du trou, ensuite je traînerai cet individu dans la couverture. »

Il ouvrit la porte…

Ernest Blaireau était assis à la table de Monsieur Tod, en train de verser du thé de la théière de Monsieur Tod dans la tasse de Monsieur Tod. Il était tout à fait sec et grimaçant. Il jeta la tasse de thé brûlant sur Monsieur Tod.

Monsieur Tod se précipita sur Ernest Blaireau, qui se débattit contre Monsieur Tod au milieu de la vaisselle cassée, et il s'ensuivit une terrible bataille dans toute la cuisine.

Les meubles tombaient bruyamment par terre. Les lapins qui se trouvaient juste en dessous avaient l'impression que le plancher allait céder. Ils rampèrent hors du tunnel et se tinrent immobiles parmi les rochers et les buissons, tendant anxieusement leurs longues oreilles.

À l'intérieur de la maison, le vacarme était effrayant. Les petits bébés lapins, qui avaient été réveillés, tremblaient de peur dans le four. Et sans doute était-ce pour eux une chance qu'ils se soient trouvés dans le

four car, dans la maison, tout était sens dessus dessous, à l'exception de la table de la cuisine. Et tout était cassé, sauf la cheminée et le pare-feu. La vaisselle était réduite en poussière. Les chaises étaient cassées, la fenêtre aussi, et jusqu'à l'horloge qui s'effondra à terre avec un grand fracas ; des poignées de poils roux volaient.

Les vases tombaient de la cheminée, les boîtes de provisions tombaient de l'étagère, la bouilloire tomba de la cuisinière. Ernest Blaireau avait mis le pied dans un pot de confiture de framboises.

L'eau brûlante de la bouilloire coula sur la queue de Monsieur Tod. Au moment où la bouilloire tomba, Ernest Blaireau, toujours grimaçant, était couché sur Monsieur Tod. Il roula sur lui-même, l'entraînant, et ils roulèrent ainsi, comme une bûche, jusqu'à la porte, qu'ils franchirent, toujours en roulant.

Ils continuèrent à se battre et à se quereller bruyamment dehors, puis roulèrent sur le talus et dévalèrent la colline, avant de venir se heurter sur les

rochers. La querelle entre Monsieur Tod et Ernest Blaireau se poursuivait interminablement.

Dès que la voie fut libre, Pierre Lapin et Jeannot Lapin sortirent des buissons.

« Allons-y ! Cours, cousin Jeannot ! Rentre dans la maison et prends les petits ! Je ferai le guet ! »

Mais Jeannot Lapin était terrifié.

« Oh, oh ! Ils reviennent !

– Mais non.

– Si, je t'assure.

– Quelles injures épouvantables ! Je crois qu'ils sont tombés de la falaise. »

Jeannot hésitait encore, et Pierre dut le pousser à l'intérieur.

« Dépêche-toi, il n'y a aucun problème. Referme bien la porte du four, cousin Jeannot. »

Décidément, il y avait beaucoup d'animation dans la cuisine de Monsieur Tod !

Pendant ce temps, au terrier, les choses n'avaient pas été faciles non plus.

Après s'être querellés pendant le dîner, Flopsaut et le vieux Monsieur Lapin Père avaient très mal dormi. Ils s'étaient querellés de nouveau au petit déjeuner. Le vieux Monsieur Lapin ne pouvait plus nier qu'il avait invité quelqu'un dans le terrier ; mais il restait toujours sourd aux questions et aux reproches de Flopsaut. L'ambiance était très tendue…

Le vieux Monsieur Lapin, d'humeur taciturne, était recroquevillé dans un coin, barricadé derrière un fauteuil. Flopsaut lui avait confisqué sa pipe et avait caché son tabac. Elle avait entrepris un grand nettoyage de printemps, pour calmer sa colère. Elle venait de terminer. Le vieux Monsieur Lapin, derrière son fauteuil, se demandait avec inquiétude ce qu'elle allait inventer maintenant.

Dans la cuisine de Monsieur Tod, Jeannot Lapin se frayait un chemin parmi les débris, avançant difficilement à travers un épais nuage de poussière vers le four. Il en ouvrit la porte, tâta l'intérieur et sentit une petite masse toute chaude et frétillante. Il souleva doucement ce quelque chose et rejoignit Pierre Lapin.

« Je les ai ! Pouvons-nous partir maintenant ? Faut-il nous cacher, cousin Pierre ? »

Pierre tendit les oreilles ; au loin, des échos de la bagarre résonnaient encore dans les bois.

Cinq minutes plus tard, deux lapins hors d'haleine dévalaient la pente de la colline du Taureau, à moitié portant, à moitié traînant – bim ! boum ! – sur l'herbe un gros sac de toile. Ils parvinrent sains et saufs à destination et entrèrent en trombe dans le terrier.

Immenses furent la joie de Flopsaut et le soulagement du vieux

Monsieur Lapin, quand Pierre et Jeannot firent leur entrée triomphale. Les petits bébés lapins étaient choqués et affamés : après un bon repas,

on les mit au lit. Ils se remirent très vite de leurs émotions. Monsieur Jean Lapin Père eut droit à une nouvelle pipe et à une provision de tabac. Sa fierté l'obligea à hésiter quelque peu, mais, finalement, il accepta de bon cœur. Le vieux Monsieur Lapin Père fut pardonné, et tout le monde alla dîner. Pierre et Jeannot racontèrent leur histoire, mais ils étaient partis trop précipitamment pour savoir comment s'était terminée la terrible bataille entre Ernest Blaireau et Monsieur Tod.

FIN

REBONDI
COCHONNET

1913

À PROPOS
DE CETTE HISTOIRE

Pour Beatrix Potter, 1913 a été une année bien remplie. Bien que malade, elle a réussi à se marier avec William Heelis et à faire aménager leur nouvelle maison, Castle Cottage. Et elle a terminé *in extremis* l'histoire de *Rebondi Cochonnet* pour la donner à la publication cette année-là ; elle a écrit à une amie : « Malheureusement, je l'ai écrite en étant terriblement pressée et bousculée. » Cependant, c'est une délicieuse histoire que Beatrix ruminait depuis quelques années. En 1909, dans une lettre à Millie Warne, elle avait décrit la vente de deux cochons de la ferme Hill Top. « Leur appétit était effrayant : cinq repas par jour, et ils n'étaient pas satisfaits. » Replette a réellement existé, c'était une truie noire de race Berkshire, appelée Pig-Wig, que Beatrix considérait comme un animal de compagnie. Et elle a dédié l'histoire aux deux enfants du fermier qui lui a procuré cette truie, « Pour Cecily et Charlie. L'histoire du Cochon de Noël ».

Il était une fois une dame cochon appelée Tante Petitpas. Elle n'avait pas moins de huit enfants : quatre filles, nommées Grognonne, Sac-Sac, Yoc-Yoc et Plouf, et quatre petits garçons cochons, Alexandre, Rebondi Cochonnet, Tchin-Tchin et Rondelet. Ce dernier avait eu un accident à la queue.

Les huit petits cochons avaient de gros appétits. « Youp youp youp, s'ils mangent ? Ah oui, pour ça, ils mangent ! » disait Tante Petitpas, en les regardant avec fierté. Tout à coup, on entendit

des couinements de détresse : Alexandre s'était glissé sous les arceaux de l'auge à cochons, et était resté coincé.

Tante Petitpas et moi, nous le tirâmes par les pattes arrière.

Tchin-Tchin, lui aussi, s'était

mal conduit : c'était jour de lessive et il avait mangé un morceau de savon. Et ensuite, nous trouvâmes un autre petit cochon, tout sale, dans un panier de linge propre. « Ta, ta, ta ! Lequel est-ce ? » grogna Tante Petitpas.

Vous savez que les petits cochons sont roses, ou parfois roses avec des taches noires, mais celui-ci était noir de boue des pieds à la tête. Après l'avoir trempé dans le baquet, on s'aperçut que c'était Yoc-Yoc.

Ensuite, dans le jardin, je vis Grognonne et Sac-Sac qui arrachaient des carottes. Je leur donnai moi-même une

fessée et je les fis sortir en leur tirant les oreilles. Grognonne essaya de me mordre.

« Tante Petitpas, Tante Petitpas, vous êtes très estimable, mais vos enfants sont mal élevés. Ils ont tous fait des bêtises, à l'exception de Plouf et de Rebondi Cochonnet.

– Youp youp, soupira Tante Petitpas. Et ils boivent des seaux entiers de lait ; il me faudrait une autre vache ! Ma bonne petite Plouf peut rester, pour s'occuper du ménage. Mais les autres, il faut qu'ils partent. Quatre cochonnets et quatre cochonnettes, c'est beaucoup trop. Youp, youp, youp, et il y aura davantage à manger sans eux. »

Aussi, Tchin-Tchin et Sac-Sac furent-ils emmenés dans une brouette, alors que

Rondelet, Yoc-Yoc et Grognonne prenaient une carriole. Et les deux autres petits cochons, Rebondi Cochonnet et Alexandre, durent aller à la foire. Après leur avoir brossé le manteau, tire-bouchonné la queue et lavé la frimousse, nous leur dîmes au revoir dans la cour.

Tante Petitpas s'essuya les yeux avec un grand mouchoir, puis moucha le nez de Rebondi Cochonnet et versa des larmes. Elle prêta ensuite son mouchoir à Plouf. Elle soupira et grogna, et s'adressa en ces termes aux petits cochons :

« Eh bien, Rebondi Cochonnet, mon garçon, tu vas aller à la foire. Tiens la main de ton frère Alexandre. Attention à tes habits du dimanche et n'oublie pas de te moucher. (Tante Petitpas essuya à nouveau les nez à la ronde, avec son mouchoir.) Attention aux trappes, aux perchoirs à poules et aux œufs au lard ; marche toujours sur tes pattes arrière. »

Rebondi Cochonnet, qui était un petit cochon raisonnable, regarda gravement sa maman ; une larme lui roula sur la joue.

Tante Petitpas se tourna vers le second.

« Eh bien, Alexandre, prends-lui la main.

– Ouin, ouin, ouin ! gloussa Alexandre.

– Prends la main de ton frère, Rebondi Cochonnet, tu vas aller à la foire. Fais attention.

– Ouin, ouin, ouin ! l'interrompit de nouveau Alexandre.

– Tu me fais perdre le fil, dit Tante Petitpas. Regarde bien les panneaux et les bornes du chemin ; n'avale pas d'arêtes de hareng.

– Et n'oublie pas, ajoutai-je d'un ton grave, si tu passes les limites du comté, tu ne pourras plus revenir. Alexandre, tu n'écoutes pas ! Voici deux permis autorisant des cochons à se rendre à la foire, dans le Lancashire. Alexandre, fais attention ! J'ai eu toutes les peines du monde à les obtenir du policier. »

Rebondi Cochonnet écoutait d'un air sérieux ; Alexandre était de plus en plus dissipé.

Pour plus de sûreté, j'épinglai les permis dans leurs poches.

Tante Petitpas leur donna, à chacun, un petit baluchon et huit pastilles de menthe dont les papiers portaient une petite maxime.

Rebondi Cochonnet et Alexandre trottèrent tout droit pendant un mile. Du moins Rebondi, car Alexandre, qui faisait de larges zigzags d'un bord à l'autre de la route, accomplit moitié plus de chemin. Il gambadait et pinçait son frère en chantant :

Ce cochon est allé à la foire, ce cochon est resté à la maison,
Ce cochon ne manque pas de lard.

« On regarde ce qu'elles nous ont donné pour notre repas, Rebondi ? »

Rebondi Cochonnet et Alexandre s'assirent et ouvrirent leurs baluchons. Alexandre avala son déjeuner en un clin d'œil ; il avait déjà mangé toutes ses pastilles. « Tu m'en donnes une, Rebondi ?

– Mais je voulais les garder pour les cas d'urgence », dit Rebondi Cochonnet, hésitant.

Alexandre se mit à couiner de rire. Il piqua Rebondi avec l'épingle qui tenait son permis. Et, quand Rebondi lui donna une gifle, Alexandre fit tomber son épingle, puis tenta de prendre celle de son frère, et les papiers en furent tout mélangés. Rebondi houspilla Alexandre.

Cependant, ils se réconcilièrent et se mirent tous deux à trotter, en chantant :

Tom, le fils du joueur de biniou
A volé un cochon et s'est enfui,
Là-haut, en jouant de son biniou,
Là-haut sur la colline, il s'est enfui.

« Comment, jeunes gens ? Volé un cochon ? Vous avez vos permis ? » dit le policier. Ils l'avaient presque heurté, au détour d'un tournant. Rebondi Cochonnet sortit le sien ; Alexandre, après avoir farfouillé, tendit quelque chose de chiffonné.

« Une livre de pastilles de menthe à trois sous ! Qu'est-ce que c'est que ça ? Ce n'est pas un permis ! »

Le nez d'Alexandre s'allongea ostensiblement ; il l'avait perdu. « Je l'avais, je vous assure, Monsieur le policier !

– Je ne pense pas qu'on t'aurait laissé partir sans. Je dois passer à la ferme. Tu vas venir avec moi.

– Je peux retourner, moi aussi ? demanda Rebondi Cochonnet.

– Il n'y a aucune raison, jeune homme. Tes papiers sont en règle. »

Rebondi Cochonnet n'avait pas envie de continuer seul, d'autant qu'il commençait à pleuvoir. Mais, avec la police, mieux vaut ne pas discuter ; il donna à son frère une pastille de menthe et le regarda s'éloigner.

Voici la conclusion des aventures d'Alexandre : le policier

arriva tranquillement à la maison à l'heure du goûter, suivi d'un petit cochon filant doux et détrempé. Par la suite, je l'ai placé chez un voisin ; après un temps d'adaptation, il s'y est assez bien comporté.

Rebondi Cochonnet continua seul, dépité ; il arriva à un croisement où un panneau indiquait « Ville de la Foire, 5 miles », « Là-haut sur la Colline, 4 miles », « Ferme de Petitpas, 3 miles ».

Rebondi Cochonnet s'alarma ; il n'y avait guère d'espoir d'arriver à la ville pour la nuit, et la foire se tenait le lendemain ; c'était navrant, tout ce temps perdu à cause de l'insouciance d'Alexandre !

Il regarda avec regret la route qui menait là-haut sur la colline mais s'engagea, comme il le devait, de l'autre côté, en boutonnant son manteau à cause de la pluie. Il n'avait jamais eu envie d'y aller, et maintenant l'idée de se trouver seul au milieu d'une foire pleine de monde, de se faire dévisager, bousculer et engager par quelque fermier inconnu lui était très désagréable.

« J'espère que je pourrai avoir un petit jardin et cultiver des pommes de terre », se dit Rebondi Cochonnet.

Il plongea sa main glacée dans sa poche, où il sentit son permis, et mit l'autre dans son autre poche, où il sentit un autre papier – celui

d'Alexandre ! Il poussa un cri, puis retourna sur ses pas au galop pour tenter de rattraper Alexandre et le policier.

Il se trompa au croisement – se trompa encore plusieurs fois, et se

retrouva perdu. La nuit tombait, le vent sifflait, les arbres craquaient et gémissaient.

Rebondi Cochonnet prit peur et se mit à pleurer : « Ouin, ouin, ouin ! Où est ma maison ? »

Après une heure d'errance, il sortit du bois ; la lune brillait à travers les nuages et Rebondi Cochonnet découvrit un pays qu'il n'avait jamais vu. La route traversait une lande ; plus bas s'étendait une large vallée avec une rivière qui scintillait sous le clair de lune, et au-delà – au loin, dans la brume – on voyait là-haut sur la colline.

Il remarqua une petite cabane en bois, s'en approcha et se glissa à l'intérieur. « J'ai bien peur que ce ne soit un poulailler, mais que faire ? » se dit Rebondi Cochonnet, trempé, glacé et complètement épuisé.

« Œufs au lard, œufs au lard ! caqueta une poule sur un perchoir.

« – Trappe, trappe, trappe ! Caquette, caquette, caquette ! rouspéta un jeune coq, mécontent.

– Picoti, picota, foire aux cochons ! » caqueta une poule blanche couveuse, tout près de lui.

Rebondi Cochonnet, très inquiet, décida qu'il allait s'éclipser au point du jour.

Mais il s'endormit avec les poules.

Moins d'une heure plus tard, ils furent tous réveillés. Monsieur Thomas Dubiniou, avec une lanterne et un grand panier, venait cher-

cher six volailles qu'il devait emmener à la foire le lendemain. Il attrapa la poule blanche et, du même coup, son regard tomba sur Rebondi Cochonnet, tassé dans un coin. Il fit une singulière remarque, « Tiens, en voici un autre ! », saisit Rebondi par la peau du cou et l'enfourna dans le panier. Ensuite, il entassa cinq autres poules, gesticulantes et caquetantes, sur le dos du petit cochon.

Le panier, avec six poules et un jeune cochon, n'était pas un mince poids ; la descente de la colline occasionna beaucoup de secousses et de chocs. Rebondi arriva presque en morceaux, mais parvint tout de même à ne perdre ni ses papiers ni ses pastilles.

Pour finir, le panier heurta le sol d'une cuisine ; on souleva le couvercle et Rebondi fut hissé. Il regarda autour de lui en clignant des yeux, et vit un vieux bonhomme terriblement laid, qui souriait d'une oreille à l'autre.

« Celui-ci est venu de lui-même », dit Monsieur Dubiniou, en retournant les poches de Rebondi. Il poussa le panier dans un coin et le recouvrit d'un sac, pour que les poules se tiennent tranquilles. Puis il posa une marmite sur le feu et se mit à défaire ses lacets.

Rebondi Cochonnet tira un tabouret et s'assit sur le bord ; il se chauffa timidement les mains. Monsieur Dubiniou retira une de ses bottines et

la lança dans les lambris, à l'autre bout de la cuisine. Il y eut un petit bruit étouffé. « Silence ! » dit Monsieur Dubiniou. Rebondi Cochonnet, tout en se chauffant les mains, leva les yeux.

Monsieur Dubiniou retira son autre bottine et la lança

comme la première. Il y eut un
autre bruit bizarre. « Du calme,
toi ! » dit Monsieur Dubiniou.
Rebondi Cochonnet s'avança
sur l'extrême bord du tabouret.

Monsieur Dubiniou alla chercher de la farine dans un coffre
et fit du porridge. Rebondi eut
l'impression que quelque chose,
à l'autre bout de la cuisine, s'in-
téressait à la marmite, mais il avait lui-même trop faim pour se laisser dis-
traire par le bruit.

Monsieur Dubiniou prépara trois assiettes : une pour lui-même, une
pour Rebondi et une troisième qu'il glissa rapidement – après un regard
vers ce dernier – dans le placard, qu'il referma à clef. Rebondi mangea
discrètement son porridge.

Après le dîner, Monsieur Dubiniou consulta son almanach et vint tâter les côtes de Rebondi ; la saison était trop avancée pour fumer du lard, et il était chiche de sa farine. En outre, les poules avaient vu ce cochon.

Il jeta un coup d'œil à ses maigres réserves de lard, et regarda Rebondi d'un air indécis.

« Tu peux dormir sur le tapis », dit Monsieur Thomas Dubiniou.

Rebondi Cochonnet dormit comme une souche. Au matin, Monsieur Dubiniou prépara encore du porridge ; il faisait plus chaud. Il regarda combien il restait de farine dans le coffre et sembla mécontent. « On dirait que tu vas devoir aller voir ailleurs ! » dit-il à Rebondi.

Avant que celui-ci puisse répondre, un voisin, qui devait emmener Monsieur Dubiniou et ses poules, siffla depuis la grille. Monsieur Dubiniou se précipita, avec son panier, ordonnant à Rebondi de fermer la porte derrière lui et de ne pas fourrer son nez partout ; sinon, « en revenant, je t'écorche ! »

Rebondi songea un instant que, s'il demandait qu'on l'emmène, il pourrait encore arriver à temps à la foire.

Mais il ne se fiait pas à Monsieur Dubiniou.

Après avoir fini tranquillement son petit déjeuner, Rebondi ins-

pecta la maison. Tout était sous clef. Il trouva quelques épluchures de pommes de terre dans un seau, dans l'arrière-cuisine. Il mangea les épluchures et lava dans le seau les assiettes de porridge. Tout en s'activant, il chantonnait :

Tom et son biniou font du vacarme,
Filles et garçons les acclament,
Ils chantent et tambourinent,
Et dansent là-haut sur la colline.

Tout à coup, une petite voix étouffée lui fit écho :

Là-haut sur la colline, le grand vent
Jette mon bonnet au firmament.

Rebondi Cochonnet posa l'assiette qu'il était en train d'essuyer et écouta.

Après un long moment, il s'avança sur la pointe des pieds et jeta un coup d'œil par la porte, dans la cuisine. Il n'y avait personne.

Après une nouvelle pause, il s'approcha de la porte du placard fermé à clef et regarda par le trou de la serrure. Rien ne bougeait.

Il attendit encore un peu puis il glissa sous la porte une pastille… qui fut sucée immédiatement.

Au cours de la journée, Rebondi passa sous la porte ses six autres pastilles.

Lorsque Monsieur Dubiniou revint, il trouva Rebondi assis devant le feu ; il avait balayé les cendres et mis de l'eau à bouillir. La farine n'était pas accessible.

Monsieur Dubiniou se montra très aimable. Il donna une tape sur le dos de Rebondi, fit beaucoup de porridge et oublia de donner un tour de clef à la serrure du coffre. Et, s'il crut fermer la porte du placard, il ne le fit pas correctement. Il alla se coucher de bonne heure et dit à Cochonnet de ne pas le déranger, le lendemain, avant midi.

Rebondi Cochonnet s'assit devant le feu et prit son dîner.

Tout à coup, tout près de lui, il entendit une petite voix : « Je m'appelle Replette. Fais-moi encore du porridge, s'il te plaît ! » Rebondi Cochonnet sursauta et regarda tout autour.

Une ravissante petite cochonnette toute noire se tenait derrière lui et lui souriait. Elle avait de petits yeux plissés et pétillants, un double menton et un petit nez retroussé.

Elle désigna l'assiette de Rebondi ; celui-ci la lui donna sur-le-champ

et courut jusqu'au coffre à farine. « Comment es-tu arrivée ici ? lui demanda-t-il.

– Volée », répondit Replette, la bouche pleine. Rebondi puisa dans la farine sans vergogne. « Pourquoi faire ?

– Du lard, du jambon, répliqua gaiement Replette.

– Et pourquoi, au nom du ciel, ne t'enfuis-tu pas ? s'exclama Rebondi, horrifié.

– Je vais le faire après dîner », dit Replette d'un air décidé.

Rebondi Cochonnet fit encore du porridge et la regarda timidement. Elle nettoya une deuxième assiette, se leva et regarda autour d'elle, comme si elle était sur le point de partir.

« Tu ne peux pas partir dans l'obscurité », dit Rebondi Cochonnet.

Replette parut inquiète.

« De jour, tu connais le chemin ?

– Je sais qu'on aperçoit cette petite maison blanche depuis la colline, de l'autre côté de la rivière. Et vous, où allez-vous, Monsieur Cochon ?

– À la foire. J'ai des permis pour deux cochons : je peux t'emmener jusqu'au pont, si tu n'y vois pas d'objection, » dit Rebondi, tout gêné et à l'extrême bord de son tabouret.

Replette se montra si reconnaissante et posa tant de questions que Rebondi Cochonnet en fut très embarrassé.

Il se sentit obligé de fermer les yeux et de faire semblant de dormir. Elle se calma. Il sentit une odeur de pastille de menthe.

« Je croyais que tu les avais mangées, dit Rebondi en se réveillant brusquement.

– À peine grignotées, répondit Replette, en lisant les maximes à la lueur du feu.

– Tu ne devrais pas ; il pourrait sentir l'odeur à travers le plafond », remarqua Rebondi, inquiet.

Replette remit les pastilles collantes dans sa poche.

« Chante-moi quelque chose, lui demanda-t-elle.

– Désolé… J'ai mal aux dents, s'excusa-t-il, d'un air navré.

– Bon alors, c'est moi qui vais chanter. Ça ne t'embête pas si je dis lala lalala ? J'ai oublié une partie des paroles. »

Rebondi Cochonnet ne fit pas d'objection ; il s'assit, les yeux mi-clos, la regardant.

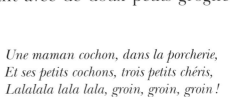

Elle remua la tête et se balança, battant la mesure et chantant avec de doux petits grogne-ments :

Une maman cochon, dans la porcherie,
Et ses petits cochons, trois petits chéris,
Lalalala lala lala, groin, groin, groin !
Et les cochons disaient ouin, ouin, ouin !

Elle chanta successivement trois ou quatre couplets mais, à chaque couplet, sa tête s'inclinait un peu plus, et ses yeux pétillants se fermaient :

Et ces trois mignons tout petits cochons
Devinrent peu à peu bien trop maigrichons,
Bien trop maigrelets
Et si gringalets qu'ils devinrent muets
Plus de groin, groin, groin !
Plus de ouin, ouin, ouin !
Et si gringalets qu'ils devinrent muets…

Replette dodelina de plus en plus de la tête et elle finit par rouler, comme une petite boule, tout endormie sur le tapis.

Rebondi Cochonnet vint, sur la pointe des pieds, la couvrir d'une têtière de fauteuil.

Lui-même avait peur de s'endormir ; il passa le reste de la nuit, assis, à écouter le chant des criquets et les ronflements de Monsieur Dubiniou, à l'étage au-dessus.

Tôt le matin, au point du jour, il fit son petit baluchon et réveilla Replette. Elle était excitée mais elle avait un peu peur. « Il fait noir ! Comment allons-nous trouver notre chemin ?

– Le coq a chanté ; il faut partir avant que les poules ne sortent ; elles pourraient alerter Monsieur Dubiniou. »

Replette se rassit et se mit à pleurer.

« Partons, Replette ; nous verrons bien… Viens ! Je les entends déjà caqueter ! »

De toute sa vie, le pacifique Rebondi n'avait jamais dit « chut » à une poule ; il se souvenait aussi du panier.

Il ouvrit doucement la porte et la referma derrière eux. Il n'y avait pas

de jardin ; aux alentours de la maison de Monsieur Dubiniou, la terre était entièrement grattée par la volaille. Main dans la main, ils s'éclipsèrent à travers un pré négligé, jusqu'à la route.

Alors qu'ils traversaient la lande, le soleil se leva et un flot de lumière jaillit par-dessus les collines, descendit rapidement la pente et illumina les paisibles vallées verdoyantes où de petits cottages se nichaient parmi les vergers et les jardins.

« C'est le comté où j'habite », dit Replette. Elle lâcha la main de Rebondi et se mit à danser et à chanter :

Tom et son biniou font du vacarme,
Filles et garçons les acclament,

Ils chantent et tambourinent,
Et dansent là-haut sur la colline.

« Viens, Replette, il nous faut atteindre le pont avant que les poules donnent l'alarme.

– Pourquoi veux-tu aller à la foire, Rebondi ? lui demanda-t-elle alors.

– Je ne veux pas. Ce que je veux, c'est cultiver des pommes de terre.

– Tu veux des pastilles de menthe ? » poursuivit-elle.

Mais il refusa sèchement.

« Tes pauvres dents te font mal ? » s'enquit Replette.

Rebondi grommela.

Replette mangea les pastilles, en marchant de l'autre côté de la route. « Replette, cache-toi derrière le mur, il y a un homme qui laboure. » Elle traversa et tous deux se hâtèrent de descendre jusqu'à la limite du comté.

Tout à coup, Rebondi s'arrêta ; il entendait une voiture.

Montant la pente cahin-caha, une carriole de marchand venait vers eux. Les rênes, lâches, flottaient sur le dos du cheval et le conducteur lisait le journal.

« Retire cette pastille de ta bouche, Replette, on va peut-être devoir courir. Ne dis rien. Laisse-moi parler. Et si près du pont ! » dit le pauvre Rebondi, les larmes aux yeux. Il se mit à boiter fortement, s'appuyant au bras de Replette.

Le marchand, plongé dans son journal, ne les aurait peut-être pas remarqués si le cheval n'avait fait un écart. Il arrêta la carriole au milieu de la route et abaissa son fouet.

« Bonjour ! Où allez-vous ? » Rebondi Cochonnet le regarda d'un air niais. « Vous êtes muets ? Vous allez à la foire ? » Rebondi fit non de la tête. « Je me disais bien… C'était hier ! Vous avez vos permis ? » Rebondi regardait le fer du sabot arrière du cheval, dans lequel était coincé un caillou.

Le marchand donna un petit coup de fouet. « Vos papiers. Vos permis de cochons ? » Rebondi fouilla dans ses poches et tendit les papiers. Le marchand les lut, mais ne sembla pas convaincu. « Ce cochon, là, c'est une jeune fille ; elle s'appelle Alexandre ? » Replette ouvrit la bouche, puis la referma ; Rebondi toussa convulsivement.

Le marchand parcourut du doigt la colonne des petites annonces du journal. « Perdu, volé ou errant, grosse récompense » ; il regarda Replette d'un œil soupçonneux. Il se mit alors debout dans la carriole et siffla le laboureur.

« Vous, attendez-moi ici, le temps que j'aille lui parler », dit le mar-

chand, rassemblant les rênes. Tout en sachant les cochons prompts à fuir, il se disait que celui-ci, boiteux comme il était, ne pouvait pas courir !

« Pas encore, Replette, il va nous regarder. » C'est ce que fit le mar-

chand. Il vit les deux cochons immobiles au milieu de la route. Ensuite, il remarqua le sabot de son cheval – ce dernier boitait, lui aussi. Il lui fallut un certain temps pour retirer le caillou, puis il repartit vers le laboureur.

« Maintenant, Replette, MAIN-TENANT ! » dit Rebondi Cochon-net.

Jamais cochons ne coururent comme ces deux-là ! Ils filèrent, couinèrent et galopèrent vers le bas de la blanche colline et vers le pont. Les jupes de la dodue petite Replette flottaient et ses pattes, tip-tap, tapotaient tant elle caraco-lait et bondissait. Ils coururent, coururent et coururent encore jusqu'au bas de la colline puis à travers une courte bande d'herbe rase, entre les galets et les roseaux.

Ils arrivèrent à la rivière, ils arrivèrent au pont, qu'ils pas-sèrent main dans la main, puis les deux petits cochons conti-nuèrent là-haut sur la colline, très loin, et là-haut sur la col-line, ils dansèrent, dansè-rent… et dansent encore.

FIN

LES COMPTINES
DE POM POMMETTE

1917

À PROPOS
DE CES COMPTINES

L'idée de cette œuvre a trotté dans la tête de Beatrix Potter bien avant que le livre ne fût enfin publié. Dès 1893, elle a préparé les illustrations de la souris habitant dans un soulier et, en 1902, elle a débattu des autres dessins avec son éditeur, après avoir terminé *Pierre Lapin.* Mais elle s'est ensuite consacrée à ses autres histoires et le livre a été mis de côté. En 1905, elle a écrit à Norman Warne pour lui proposer une entrevue sur les comptines, mais la mort tragique de l'éditeur a encore repoussé le projet. Finalement, Beatrix a ressorti celui-ci en 1917, à la demande de Harold Warne. Elle a elle-même écrit les comptines sur une longue période, et les illustrations ont été exécutées à différentes époques, ce qui explique que certaines ont des côtés droits alors que d'autres sont vignetées, et que le style varie.

Pom Pommette,
   Une souris au poil brun
Visite le garde-manger
   De chez quelqu'un.

Dans le garde-manger de quelqu'un
   Il y a des choses choisies –
Gâteau, fromage, jambon, biscuits
   – Délicieuses pour une souris !

Pom Pommette
    A de petits yeux perçants,
Et Pom Pommette
    Aime les tartes tant et tant !

MAIS QUI est-ce qui toque
    Chez Queue-de-Coton,
        à la porte ?
Tap tap toc ! Tap tap toc !
    Et ce n'est pas la première
        fois ?

Et quand elle regarde
au-dehors
Elle ne voit personne,
Que des carottes dans
un panier
Posé là sur l'escalier.

Tiens ! Voilà qu'on frappe
encore !
Tap, tap, tap toc !
Tap tap toc !
Pourquoi ? Je crois savoir
Que c'est un petit lapin
noir !

Le vieux Monsieur
        Piquépingle
    N'a jamais de pelote
Pour y piquer ses épingles,
    Il a le nez noir et la barbe
        grise,
Et vit dans la souche d'un pin
    Au bord du chemin.

Connaissez-vous cette maman
        Qui vivait dans un soulier ?
    Et qui avait tant d'enfants
        Qu'elle ne savait s'en dépêtrer ?

    Si elle avait ainsi choisi
        Un soulier pour logement –
    Je crois que cette maman
        Devait être une souris !

GRATTERI GRATTERI
        Piocheur !
Vieux petit homme
        en velours noir ;
Il gratte et pioche
        Et il faut voir
Les tas laissés par Gratteri
        Piocheur.

BOUILLON et pommes
        de terre
Dans un bon vieux pot.
        Mettez-les au four,
Et servez-les bien chaud !

Un aimable cochon d'Inde,
    un jour,
Se brossait les cheveux en arrière
    comme une perruque –

Il portait un joli nœud
    Comme le ciel, tout bleu –

Et ses moustaches et ses boutons
    étaient très gros.

FIN

Petit-Jean
des Villes

1918

À PROPOS
DE CETTE HISTOIRE

L'histoire de *Petit-Jean des Villes* se déroule dans les environs de la région des Lacs. Petit-Jean vit dans la ville de Hawkshead, comme on peut le voir sur un porche, dans l'une des images, alors que Petit-Louis a sa résidence dans un jardin de Sawrey. C'est Old Diamond, le cheval de trait de Beatrix, qui tire la charrette du roulier (l'illustration préférée de l'auteur), et la cuisinière est une dame du cru, Mrs. Rogerson. Petit-Jean des Villes lui-même est inspiré du Dr. Parsons, que l'on voit (sur la couverture, page précédente) porter son sac de clubs pour aller jouer au golf avec Willie Heelis, le mari de Beatrix.

Le thème de l'histoire est emprunté à une fable d'Ésope, et Beatrix a dédicacé le livre à « Ésope au pays des ombres ». Sa vue était en effet déclinante et elle se lamentait sur ses dessins. « Je suis incapable de les mettre en couleurs. » Cependant, les scènes de la campagne, en particulier, sont très réussies.

PETIT-JEAN DES VILLES
était né dans un placard ;
Petit-Louis était né dans
un jardin. Petit-Louis était
une souris des champs
qui partit un jour à la ville
par erreur dans une malle
en osier. En effet, tous
les huit jours, le jardinier
expédiait des légumes à la ville
dans une grande malle
en osier.

Le jardinier déposait la malle à côté de la grille du jardin
pour que le cocher la ramasse au passage. Il y avait un petit trou
dans la vannerie ; Petit-Louis s'y faufila pour manger des petits pois,
et s'endormit profondément.

Il se réveilla en sursaut
quand la malle fut hissée
dans la carriole du cocher.
Il y eut une forte secousse,
des martèlements de sabots.
On empila d'autres paquets
à l'arrière. Cahin-caha,
la carriole se mit en route.
Il sembla à Petit-Louis que
le voyage durait des heures.
Terrorisé, il se laissa secouer
parmi les légumes.

Enfin, la carriole s'immobilisa
dans la cour d'une maison.
Quelqu'un sortit la malle, la porta
à l'intérieur et la posa à terre.
La cuisinière donna six sous
de pourboire au cocher.
Une porte claqua, et la carriole
s'ébranla lourdement.
Mais le calme ne revint pas
pour autant : une quantité
impressionnante de voitures
passait dans la rue, les chiens
aboyaient, des enfants sifflaient,
la cuisinière riait aux éclats,
la bonne montait et descendait
l'escalier en courant, le canari vocalisait.

Petit-Louis, qui n'était jamais
sorti de son jardin, pensa
mourir de peur.
Et voilà que la cuisinière
ouvrait le panier
et commençait à sortir
les légumes. Hop là !
Terrifié, Petit-Louis jaillit
comme un ressort.

La cuisinière sauta
sur une chaise en criant :
« Une souris ! une souris !
Vite, cherchez le chat !
Prends le tisonnier, Marie ! »
Petit-Louis n'attendit pas
que Marie soit revenue
avec le tisonnier ; il galopa
le long d'un mur, trouva
un petit trou et disparut.

Il fit une chute d'une trentaine
de centimètres, et s'écrasa
sur une table, brisant
trois verres, au beau milieu
d'un dîner de souris.
« Ciel ! que se passe-t-il ? »
interrogea Petit-Jean. Mais,
une fois la première surprise
passée, il retrouva bien vite
ses bonnes manières.

Avec une courtoisie extrême,
il présenta Petit-Louis à ses neuf
convives qui avaient tous
de longues queues, et portaient
redingote et cravate blanche.
Petit-Louis, quant à lui, avait
une queue très courte. Petit-Jean
et ses amis s'en aperçurent.
Mais ils étaient trop bien élevés
pour en faire la remarque ;

l'un d'entre eux, cependant,
demanda à Petit-Louis
s'il n'avait jamais été pris
dans une souricière.
Il y avait huit plats au menu ;
les portions étaient petites,
mais exquises. Petit-Louis ne
connaissait aucun de ces mets,
et il n'aurait jamais osé y goûter
s'il n'avait pas eu aussi faim,
ni aussi peur de paraître impoli.

Au-dessus de leurs têtes, le bruit incessant le rendait nerveux ;
il en laissa tomber une assiette. « Aucune importance. Elles ne sont
pas à nous, dit Petit-Jean.
– Pourquoi ces petits polissons
ne reviennent-ils pas avec
le dessert ? » ajouta-t-il. Il faut
dire que deux jeunes souris
faisaient le service, et montaient
à la cuisine entre les plats,
en se chamaillant. Plusieurs fois
déjà, on les avait entendues rire
et pousser de petits cris
en se bousculant pour rentrer ;
Petit-Louis comprit avec horreur
que le gros matou était à leurs
trousses. Cela lui coupa net l'appétit.
Il faillit se trouver mal. « Voulez-vous

un peu de crème renversée ?
lui demanda Petit-Jean.
Non vraiment ? Vous préférez
prendre un peu de repos ?
Je vais vous montrer un coussin
très confortable. »
Le coussin en question, posé sur
un sofa moelleux, avait un gros
trou. Petit-Jean l'assura, foi de
souris, que c'était le meilleur lit
de la maison. Mais Petit-Louis
préféra passer une nuit blanche
sous le garde-feu ; le coussin
sentait trop le chat.

Le lendemain se déroula exactement
de la même manière.
Un excellent petit déjeuner fut servi
– pour des souris habituées au lard.
Mais Petit-Louis, lui, aurait préféré
des racines et de la salade.
Petit-Jean et ses amis faisaient grand
tapage en courant partout sous
le plancher ; et, le soir, ils n'avaient
pas peur de se promener dans
toute la maison.
Il y eut un bruit violent lorsque Marie
fit une chute dans l'escalier en portant
le plateau du goûter : cela fit
une récolte de miettes, de sucre

et de flaques de confiture
à déguster, en dépit du chat.
Petit-Louis rêvait de retrouver
son petit nid douillet
sur la rive ensoleillée.
La nourriture lui donnait
des maux d'estomac ; le bruit
l'empêchait de dormir.
En quelques jours, il avait
tellement maigri que
Petit-Jean s'en aperçut et
le questionna. Il écouta le récit
de Petit-Louis et demanda
des détails sur le jardin.
« Ça m'a l'air d'un endroit
un peu ennuyeux ! Que
faites-vous lorsqu'il pleut ?

– Quand il pleut, je reste dans mon petit terrier sablonneux et je décortique les épis de blé et les graines de ma réserve d'automne. Je sors le museau et je regarde les grives et les merles sur la pelouse, et mon ami le rouge-gorge. Quand le soleil revient, vous devriez voir mon jardin et mes fleurs : les roses, les œillets, les pensées... et puis, on n'entend rien d'autre que les oiseaux, les abeilles et les agneaux qui bêlent dans les champs !

– Voilà encore ce chat qui revient ! » coupa Petit-Jean. Une fois réfugiés dans la cave à charbon, ils reprirent leur conversation : « J'avoue que je suis un petit peu déçu. Nous avons pourtant fait notre possible pour rendre votre séjour agréable, Petit-Louis. – Oh oui, vous avez vraiment été très gentils avec moi. Mais, vous savez, je me sens un peu malade, soupira Petit-Louis.

– C'est peut-être parce que
vous ne digérez pas bien
notre nourriture ; vous feriez
peut-être mieux de rentrer
par la prochaine malle ?
– Ah oui, vous croyez ?
fit Petit-Louis.
– Mais parfaitement,
parfaitement ! D'ailleurs,
nous aurions déjà pu organiser
cela la semaine dernière !
dit Petit-Jean, un peu agacé.
Vous savez bien que la malle
repart à vide tous les samedis. »

C'est ainsi que Petit-Louis fit
ses adieux à ses nouveaux amis.
Il se cacha dans la malle,
avec une miette de gâteau
et une feuille de chou fanée.
Après bien des secousses,
il fut déposé sain et sauf
dans son jardin.

Quelquefois, le samedi,
il allait jeter un coup d'œil sur
la malle, mais il se gardait bien
d'y rentrer. Et personne
n'en sortait jamais, bien que
Petit-Jean lui ait à moitié
promis une visite.

L'hiver passa ; le soleil réapparut.
Au pas de sa porte, Petit-Louis
réchauffait sa fourrure, et humait
le parfum des violettes et de
l'herbe fraîche. Il avait presque
oublié son équipée à la ville.

Quelle ne fut donc pas
sa surprise de voir Petit-Jean
déboucher du fond de l'allée,
tiré à quatre épingles et portant
une petite valise de cuir brun.
Petit-Louis l'accueillit
à bras ouverts.
« Vous arrivez au meilleur
moment de l'année ! Laissez-moi
vous préparer une galette aux
fines herbes : nous la mangerons
au soleil.

– Humm ! Ne fait-il pas un peu humide ? » dit Petit-Jean. Il portait sa queue sous le bras, pour qu'elle ne traîne pas dans la boue. Tout à coup, il sursauta et s'écria : « Qu'est-ce que c'est que ce bruit ?

– Ça ? fit Petit-Louis, mais c'est une vache ! Je vais lui demander un peu de lait. Ces bêtes-là sont tout à fait inoffensives, tant qu'il ne leur vient pas l'idée de s'asseoir sur vous. Mais comment vont tous nos amis ? »

Le compte rendu de Petit-Jean ne fut pas très enthousiaste. Il était venu dès les premiers jours du printemps parce que la famille était partie au bord de la mer pour les vacances de Pâques. La bonne, qui était restée à la maison, faisait le grand nettoyage de printemps, et avait pour mission de chasser toutes les souris. Il y avait maintenant quatre chatons, et le chat avait tué le canari.

« C'est nous qu'ils accusent,
vous pensez ! dit Petit-Jean,
mais quel est cet horrible
grincement ?

– C'est seulement la tondeuse
à gazon. J'irai tout à l'heure
ramasser de l'herbe coupée
pour faire votre lit. Je vous
assure que vous devriez
vous retirer à la campagne,
mon cher Jean.

– Humm... nous
reparlerons de cela mardi
en huit ;
la malle ne voyage pas
pendant qu'ils sont
en vacances.

– Je suis certain que vous
ne voudrez plus retourner
à la ville », dit Petit-Louis.

Pourtant, Petit-Jean
repartit. Il s'en retourna
par la première malle
de légumes en déclarant
que la vie à la campagne
était vraiment trop calme !

À chacun sa préférence.
Pour ma part, j'avoue
que j'aime mieux vivre
à la campagne, comme
Petit-Louis.

FIN

Les comptines de Cécile Persil

1922

À PROPOS
DE CES COMPTINES

Les origines de la seconde série de comptines de Beatrix Potter remontent à la première, *Pom Pommette* (*Appley Dapply*). « Le jardin des cochons d'Inde » a été illustré dès 1893, l'animal de compagnie d'un voisin servant alors de modèle. En 1897, Beatrix a réalisé un petit livre avec le poème de Cécile Persil, et le manuscrit de « Ninny Nanny Ninon », basé sur une ancienne comptine, date de la même année. Pressée par son éditeur de sortir un second recueil de comptines, après le succès du premier, Beatrix n'était pas très enthousiaste. « On me harcèle pour que je donne encore un livre ou deux, mais mes yeux sont faibles et je suis fatiguée de les produire. »

Les comptines de Cécile Persil furent finalement publiées en 1922, avec une dédicace à « Petit Pierre de Nouvelle-Zélande ». C'était le neveu d'un de ses lecteurs de Nouvelle-Zélande, resté orphelin à l'âge de deux ans, au cours de la Première Guerre mondiale.

Cécile Persil vivait dans un tronc creux
   Et brassait de la bière pour les messieurs :

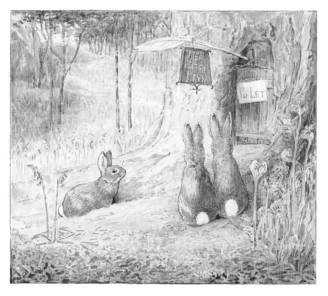

Les messieurs venaient entre amis,
   Jusqu'à ce que Cécile Persil fût partie.

MON-OIE, MON-OIE, mon-jars,
   Où allez-vous si tard ?
En haut, en bas,
   Et dans l'alcôve de ma dame !

CE COCHON est allé à la foire ;
   Ce cochon est resté à la maison ;

Ce cochon ne manque pas de lard ;

Et ce cochon n'en a pas ;

Ce petit cochon crie
Ouink ! Ouink ouink !
Je ne retrouve plus
mon chemin.

MINETTE s'assied devant l'âtre ;
N'est-elle pas jolie ainsi ?
Survenant le petit chien
Dit « Minette, êtes-vous ici ?

Comment allez-vous, Dame Minette ?
Dame Minette, comment allez-vous ?
– Très bien, petit chien, merci,
Je me porte aussi bien que vous ! »

Trois souris aveugles, trois souris aveugles,
    Voyez comme elles courent !
Elles courent toutes après la fermière,
    Et elle leur coupe la queue avec un couteau en fer,
A-t-on déjà vu une telle chose,
    Trois souris aveugles !

Ouah, wou, wou !
    De qui es-tu le chien ?
« Je suis le chien de Tom Rétameur,
    Ouah, wou, wou ! »

NOUS VIVONS dans un petit
　　jardin,
　　Un jardinet qui nous
　　　appartient
　Et, chaque jour, nous
　　　y arrosons
　　Les graines semées par
　　　nos soins.

Nous aimons notre petit
　　jardin,
　　　Et le soignons avec un tel
　　　　entrain
　Que l'on n'y voit ni feuille
　　　　flétrie
　　　Ni fleur fanée.

NINNY, NANNY
　　NINON
Avec son blanc jupon
　　Et son nez rouge –
Plus elle reste ici,
　　Plus elle rapetisse.

FIN

PETIT COCHON
ROBINSON

1930

À PROPOS
DE CETTE HISTOIRE

À dix-sept ans, Beatrix Potter avait passé avec sa famille des vacances à Ilfracombe, dans le Devon, et une longue volée de marches descendant jusqu'au port lui avait donné l'idée d'une histoire. Elle l'a écrite en 1901 et 1902, mais elle ne l'a vraiment achevée que quelque temps avant la publication, en 1930. Elle avait sorti un livre plus long, *The Fairy Caravan*, publié aux États-unis, et ses éditeurs américains lui demandaient un autre texte. L'histoire de *Petit cochon Robinson* a été publiée simultanément en Grande-Bretagne et en Amérique, la version d'outre-Atlantique contenant davantage d'illustrations en noir et blanc. Beatrix, au cours de ses vacances, a dessiné beaucoup de stations du bord de mer : Port-Cochon (« Stymouth » dans la version anglaise) est Sidmouth, dans le Devon, les croquis de bateaux ont été effectués à Teignmouth Harbour, ceux des cabanes à filets, à Hastings, dans le Sussex, et les autres, à Lyme Regis, dans le Dorset.

Chapitre un

Enfant, j'allais au bord de la mer pour les vacances. Nous résidions dans un petit port où il y avait des barques de pêche et des pêcheurs : ils sortaient à la voile, prendre du hareng au filet. Quand les bateaux rentraient, quelques-uns n'avaient par eu de chance, alors que d'autres avaient pris tant de poissons qu'ils ne pouvaient les décharger à quai. Ils restaient alors à quelque distance et, à marée basse, dans l'eau peu profonde, on faisait aller jusqu'à eux des chariots à cheval. Le poisson était déversé par-dessus le bord de l'embarcation et convoyé jusqu'à la gare, où un train de wagons spéciaux attendait.

Lorsque des bateaux rentraient ainsi avec une belle cargaison de harengs, l'animation était grande. La moitié de la population descendait sur le quai, y compris les chats.

Il y avait notamment une chatte blanche, nommée Suzanne, qui était toujours au rendez-vous. Elle appartenait à Betty, l'épouse d'un vieux pêcheur nommé Daniel, qui avait des rhumatismes et dont la famille se résumait à Suzanne et à cinq poules. Betty s'asseyait au coin du feu. Elle avait mal au dos ; elle faisait « aïe ! aïe ! » chaque fois qu'elle devait remettre du charbon ou remuer la marmite. Suzanne s'installait en face d'elle. Elle avait pitié de Betty. Elle aurait aimé savoir ajouter du charbon et touiller la soupe. Tout le jour durant, toutes deux restaient au coin du feu, tandis que Daniel allait à la pêche. Elles prenaient une tasse de thé avec un peu de lait.

« Suzanne, dit Betty, je peux à peine tenir debout. Va jusqu'au portillon pour voir si tu aperçois le bateau du patron. »

Suzanne sortit et revint. Elle alla ainsi trois ou quatre fois dans le jardin. Finalement, tard dans l'après-midi, elle aperçut les voiles de la flotte de pêche qui rentrait.

« Va jusqu'au port ; demande six harengs au patron ; je vais les faire cuire pour le dîner. Prends mon panier, Suzanne. »

Suzanne prit le panier. Elle emprunta aussi le bonnet et le petit châle de Betty. Je la vis qui se dirigeait en vitesse vers le port.

D'autres chattes sortaient des cottages et dévalaient les rues pentues qui conduisaient au front de mer. Et aussi des canards. Je me souviens qu'il y avait des canards très curieux, portant un toupet qui ressemblait à un béret à pompon écossais. Tout le monde se hâtait d'aller au-devant des bateaux – presque tout le monde. Je ne vis qu'une seule personne, un chien nommé Courtaud, qui se dirigeait dans la direction opposée. Il tenait dans la gueule un paquet.

Certains chiens n'apprécient guère le poisson. Courtaud s'en revenait de chez le boucher, où il avait acheté des côtelettes d'agneau pour lui-même, Bob, Gédéon et Mademoiselle Rose. Courtaud était un gros chien marron, bien élevé, sérieux et à courte queue. Il habitait avec Bob, le chien de chasse, avec Gédéon, le chat, et avec Mademoiselle Rose, qui tenait la maison. Il avait appartenu à un vieux monsieur très riche qui, en mourant, lui avait laissé de l'argent – dix schillings par semaine, sa vie durant. C'était ce qui permettait à Courtaud, à Bob et à Gédéon, le chat, de vivre tous ensemble dans une jolie petite maison.

Son panier sous le bras, Suzanne rencontra Courtaud à l'angle de la grand-rue. Elle lui fit une révérence. Elle se serait bien arrêtée pour lui demander des nouvelles de Gédéon, mais elle était pressée d'aller au bateau. Gédéon boitillait ; il avait mal au pied. Il s'était fait rouler dessus par la roue de la voiture du laitier.

Courtaud regarda Suzanne du coin de l'œil. Il remua la queue, mais sans s'arrêter. Il n'osa pas saluer, ni dire « bon après-midi », par crainte de laisser tomber son paquet de côtelettes. De la grand-rue, il bifurqua dans l'allée des chèvrefeuilles, où il habitait ; il poussa la porte d'en-

trée et disparut dans une maison. Bientôt se répandit une bonne odeur de cuisine et je suppose que Courtaud, Bob et Mademoiselle Rose se régalèrent de leurs côtelettes.

À l'heure du repas, Gédéon fut introuvable. Il s'était esquivé par la fenêtre et, comme tous les autres chats de la ville, il était allé à la rentrée des bateaux de pêche.

Suzanne se hâta dans la grand-rue, puis prit le raccourci vers le port, en dégringolant une périlleuse volée de marches. Les canards, prudemment, avaient pris l'autre chemin, faisant le tour par le front de mer. Car il fallait être un chat pour oser prendre l'escalier, raide et glissant. Suzanne le descendit prestement et d'un pied sûr. Il y avait quarante-trois marches, visqueuses et obscurcies par les hautes façades arrière des maisons.

D'en bas montait une odeur de cordages et de poix, et tout un brou-haha. L'escalier donnait sur le quai de débarquement, en deçà de l'arrière-port.

La marée était basse ; l'eau s'était retirée ; les bateaux gisaient sur la vase. Plusieurs embarcations étaient amarrées au quai, les autres étant à l'ancre, à l'intérieur de la digue.

Près de l'escalier, on déchargeait deux bateaux charbonniers, la *Marguerite Gourvennec*, de Sunderland, et la *Marie-Jeanne*, de Cardiff. Des hommes couraient sur les passerelles, poussant des brouettes de charbon. Des grues balançaient dans l'air leur chargement de charbon, avant de le vider dans un sourd fracas d'éboulement.

Un peu plus loin sur le quai, un autre bateau, la *Livre de Bougies*, recevait un chargement hétéroclite. Dans sa cale, on arrimait des marchandises diverses, des ballots, des caisses, des tonneaux, des barils… Des marins et des dockers poussaient des cris ; des chaînes raclaient et grinçaient. Suzanne attendit le bon moment pour traverser cette foule bruyante. Elle regarda un fût de cidre qui, faisant le voyage du quai jusqu'au pont de la *Livre de Bougies*, dansait et oscillait en l'air. Un chat jaune, assis sur une vergue,
l'observait aussi.

La corde fila dans la poulie et le fût descendit en bringuebalant vers le pont, où un marin l'attendait. Celui-ci regarda à ses pieds :

« Attention ! Gare à la tête, jeune homme ! Tirez-vous du chemin ! »

« Ouink, ouink, ouink ! » grogna un petit cochon rose, détalant sur le pont de la *Livre de Bougies.*

Le chat jaune, sur la vergue, regarda le petit cochon rose. Le chat jaune, sur la vergue, lorgna vers Suzanne, sur le quai. Le chat jaune cligna des yeux.

Suzanne était surprise de voir un cochon à bord d'un bateau. Mais elle était pressée. Elle continua en se faufilant, parmi les fûts et les tas de charbon, les hommes roulant des chariots, les bruits et les odeurs. Elle passa à côté de la criée aux poissons, de caisses de poissons, de trieuses de poisson et de tonneaux que des femmes remplissaient de harengs et de sel.

Les mouettes descendaient en piqué et criaient. Dans la cale d'un petit vapeur, on chargeait des centaines de caisses de poissons et des tonnes de poisson frais. Suzanne fut contente de sortir de la foule, en franchissant une petite volée de marches pour gagner le port extérieur. Les canards arrivèrent peu après, se dandinant et cancanant. Et le bateau du vieux Daniel, la *Betty Larmor,* dernier de la flotte et lourdement chargé de harengs, contourna la digue et dirigea son nez usé dans les galets.

Daniel était radieux. La pêche avait été bonne. Avec son équipage et deux aides, il se mit à décharger le poisson dans des charrettes, la marée étant encore trop basse pour que le bateau, rempli de harengs, accède au quai.

Mais, bonne ou mauvaise pêche, Daniel ne manquait jamais de lancer une poignée de harengs à Suzanne.

« Et voici pour les deux vieilles dames et pour un dîner chaud ! Attrape-les, Suzanne ! Voici un poisson écrasé pour toi ! Donne les autres à Betty... »

Les canards barbotaient et gloussaient ; les mouettes criaient et plongeaient. Suzanne grimpa les escaliers avec son panier de harengs et s'en revint par les petites rues.

La vieille Betty fit cuire deux harengs pour elle-même et pour Suzanne, et deux autres pour le dîner de Daniel, quand il rentra. Ensuite, elle alla au lit avec une bouillotte enveloppée dans un jupon de flanelle, pour soulager ses rhumatismes.

Daniel mangea son dîner et fuma une pipe devant le feu ; puis, il alla se coucher. Mais Suzanne s'attarda longtemps devant la cheminée, en réfléchissant. Elle réfléchit à beaucoup de choses – au poisson, aux canards, à Gédéon et à son pied, aux chiens qui mangeaient des côtelettes, au chat jaune sur le bateau et au cochon. Elle se dit qu'il était étrange de voir un cochon sur un bateau appelé la *Livre de Bougies*. Les souris pointèrent le nez sous la porte du placard. Les cendres s'amoncelèrent dans l'âtre. Suzanne ronronna doucement dans son sommeil et rêva de poisson et de cochons. Elle ne pouvait rien comprendre à ce cochon à bord d'un bateau. Mais moi, je sais tout à son propos !

Chapitre deux

Connaissez-vous la chanson du hibou et du petit chat et de leur beau bateau en cosse de pois ? Et comment ils mirent du miel et de la monnaie dans un billet de dix francs ?

Ils firent voile un an et un jour,
Vers le pays où pousse l'arbre Bong –
Et là, dans un bois, il y avait un cochonnet dodu,
Avec un anneau au bout du nez – son nez,
Avec un anneau au bout du nez.

Je vais donc vous raconter l'histoire de ce cochon et la raison pour laquelle il est allé vivre au pays de l'arbre Bong.

Lorsque ce cochon était petit, il vivait dans le Devonshire, avec ses tantes, Mademoiselle Porcinelle et Mademoiselle Porcinette, dans une ferme appelée Cochonval-la-Porcherie. Leur maisonnette au toit de chaume se trouvait dans un verger, tout en haut d'un sentier rouge et raide. La terre était rouge, l'herbe était verte ; et au-delà, dans le lointain, on apercevait des falaises rouges et un bout de mer bleu vif. Des bateaux à voile blanche voguaient sur la mer, dans le port de Port-Cochon.

J'ai souvent remarqué que les fermes de cette région ont des noms bien étranges. Et si vous aviez vu Cochonval-la-Porcherie, vous auriez sans doute constaté que les gens qui s'y trouvaient étaient, eux aussi, très étranges ! Tante

Porcinelle était une cochonne corpulente et tachetée, qui élevait des poules. Tante Porcinette était une cochonne noire et souriante, qui faisait la lessive. Dans cette histoire, nous n'entendrons pas beaucoup parler d'elles. Elles ont vécu tranquilles et prospères et elles ont fini en jambon. Mais leur neveu, Robinson, a eu les plus étonnantes aventures qu'un cochon ait jamais connues.

Petit Cochon Robinson était charmant, blanc rosé, avec de petits yeux bleus, de grosses joues, un double menton et un nez en trompette portant un véritable anneau d'argent. Robinson pouvait voir cet anneau en fermant un œil et en louchant.

Il était toujours heureux et content. Toute la journée, il flânait dans la ferme, se chantant à lui-même de petites chansons et grognant : « Ouink, ouink, ouink ! » Après son départ, ses vieilles tantes regrettèrent beaucoup de ne plus entendre ces petites chansons.

« Ouink, ouink, ouink ? » répondait-il, quand quelqu'un lui parlait. « Ouink, ouink, ouink ! », la tête inclinée et un œil plissé.

Les tantes de Robinson lui donnaient ses repas et s'occupaient de lui, mais ne lui laissaient pas une minute de repos.

« Robinson ! Robinson ! appelait Mademoiselle Porcinelle. Viens vite ! J'entends une poule qui glousse ! Va me chercher l'œuf ; ne le casse pas !

– Ouink, ouink, ouink ! répondait Robinson.

– Robinson ! Robinson ! J'ai laissé tomber une épingle à linge. Viens me la ramasser ! appelait Mademoiselle Porcinette, devant sa corde à linge (elle était trop grasse pour pouvoir ramasser quoi que ce fût).

– Ouink, ouink, ouink ! » répondait Robinson.

Mais les tantes étaient très, très grosses. Et les échaliers, dans la région de Port-Cochon, étaient très étroits. Le chemin de Cochonval-la-Porcherie traversait plus d'un champ : un sentier rouge passait au milieu de l'herbe verte et des marguerites. Et, pour passer d'un pré à l'autre, il fallait franchir un étroit passage, un échalier, ménagé dans la haie.

« Ce n'est pas moi qui suis trop grosse, ce sont les échaliers qui sont trop étroits, disait Tante Porcinelle à Tante Porcinette. Pourrais-tu réussir à t'y glisser, pendant que je resterais à la maison ?

– Non, je ne pourrais pas. Je ne peux plus depuis deux ans, répliqua Tante Porcinette. C'est exaspérant que ce roulier ait renversé sa carriole à âne juste la veille du marché. Alors que le prix des œufs a grimpé ! D'après toi, c'est très loin en faisant le tour par la route, au lieu de couper à travers prés ?

– Quatre miles, au bas mot, soupira Tante Porcinette. Et moi qui ai entamé mon dernier morceau de savon. Comment allons-nous faire pour nos emplettes ? L'âne dit qu'il faut une semaine pour réparer la charrette.

– Tu pourras peut-être passer les échaliers si tu essaies avant de manger ?

– Non, c'est impossible, je resterais coincée ; tout comme toi, dit Tante Porcinette.

– Tu ne crois pas que nous pourrions essayer… commença Tante Porcinelle.

– Essayer d'envoyer Robinson, par le sentier jusqu'à Port-Cochon ? compléta Tante Porcinette.

– Ouink, ouink, ouink ! répondit Robinson.

– Je n'aime pas beaucoup le voir aller seul, bien qu'il soit raisonnable pour son âge.

– Ouink, ouink, ouink ! répondit Robinson.

– Mais s'il n'y a pas d'autre solution », dit Tante Porcinelle.

Ainsi Robinson fut-il plongé dans la baignoire, avec le dernier morceau de savon. Une fois frotté, séché et poli, il était brillant comme un sou neuf. On lui mit une petite tunique et une culotte en coton bleu et il reçut toutes les instructions pour aller au marché de Port-Cochon, avec un grand panier.

Le panier contenait deux douzaines d'œufs, un bouquet de jonquilles, deux choux-fleurs, ainsi que des tartines à la confiture pour le repas de Robinson. Celui-ci devait vendre les œufs, les fleurs et les légumes et faire ensuite quelques emplettes.

« Prends bien soin de toi, à Port-Cochon, neveu Robinson. Attention à la poudre à canon, aux cuisiniers des bateaux, aux bétaillères, aux saucisses, aux chaussures, aux navires et à la cire à

cacheter. N'oublie pas le sac de bleu, le savon, la laine à repriser...
quelle était l'autre chose ? demanda Tante Porcinelle.

– La laine à repriser, le savon, le sac de bleu, la levure... quelle était
l'autre chose ? continua tante Porcinette.

– Ouink, ouink, ouink ! répondit Robinson.

– Le sac de bleu, le savon, la levure, la laine à repriser, les graines de
chou... ça fait cinq et il devrait y en avoir six. Il y avait deux choses en
plus de quatre, puisque ça faisait deux de trop pour faire un nœud à
chaque coin de ton mouchoir. Six choses à acheter, ce devrait être...

– Je sais ! dit Tante Porcinette. C'était du thé... thé, sac de bleu,
savon, laine à repriser, levure, graines de chou. Tu vas acheter tout
cela chez Monsieur Lamballe. Explique-lui à propos de la carriole. Dis-
lui que nous lui apporterons le linge propre et d'autres légumes la
semaine prochaine.

– Ouink, ouink, ouink ! » répondit Robinson, en s'en allant avec le grand panier.

Tante Porcinelle et Tante Porcinette se tinrent sur le porche. Elles le regardèrent descendre le pré et passer le premier échalier, jusqu'à ce qu'il fût hors de vue. Revenant à leurs tâches ménagères, elles se chamaillèrent et se disputèrent, parce qu'elles étaient inquiètes pour Robinson.

« Nous n'aurions pas dû le laisser aller. Toi et ton stupide sac de bleu ! dit Tante Porcinelle.

– Mon sac de bleu, quel culot ! Parle plutôt de ta laine et de tes œufs ! bougonna Tante Porcinette. Dommage pour cet homme et sa carriole ! Il n'aurait pas pu attendre après le marché, pour la renverser ? »

Chapitre trois

Port-Cochon était bien loin, même en coupant à travers champs. Mais le chemin descendait tout le temps et Robinson était joyeux. La matinée était radieuse et il chanta une petite chanson, puis gloussa : « Ouink, ouink, ouink ! » Au-dessus de sa tête, les alouettes chantaient, elles aussi.

Et plus haut encore… tout là-haut contre le ciel bleu, les grandes mouettes blanches planaient en larges cercles. Leurs cris rauques arrivaient atténués par la distance. Des corneilles graves et des choucas pleins d'entrain se pavanaient dans les champs, parmi les marguerites et les boutons d'or. Des agneaux bondissaient et bêlaient, alors que les moutons regardaient passer Robinson.

« Attention à toi, à Port-Cochon, petit cochon », dit une maman brebis.

Robinson trotta jusqu'à
ce qu'il fût hors d'haleine et
en nage. Il avait passé cinq
grands champs, et autant
d'échaliers ; échaliers à
marches ; échaliers à bar-
reaux ; échaliers à simples
barres de bois ; ils étaient
parfois difficiles à franchir
avec le lourd panier. En se
retournant, il ne pouvait
plus apercevoir la ferme de
Cochonval-la-Porcherie. Au
loin, devant lui, au-delà des
champs et des falaises – qui
n'avaient jamais été si
proches – la mer bleu foncé
s'élevait comme un mur.

Pour se reposer, Robinson s'assit au pied d'une haie, dans un coin
ensoleillé. Au-dessus de lui s'épanouissaient les chatons jaunes d'un
saule ; il y avait des primevères par centaines sur le talus et une chaude
odeur de mousse, d'herbe et de terre rouge, humide et fumante.

« Je vais manger tout de suite mon repas, je n'aurai plus à le porter.
Ouink, ouink, ouink ! » se dit Robinson.

La marche lui avait donné si faim qu'il aurait bien mangé un œuf,
en plus de ses tartines de confiture, mais il était trop bien élevé.

« Il n'y en aurait plus deux douzaines », se dit-il.

Il cueillit un bouquet de primevères et le lia avec le brin de laine à
repriser que Tante Porcinelle lui avait donné comme échantillon.

« Je le vendrai au marché pour moi-même et j'achèterai des bonbons avec les sous. Combien j'ai de sous ? se demanda-t-il, fouillant
dans sa poche. Un de Tante Porcinelle et un de Tante Porcinette, et
un de mes primevères pour moi – oh, ouink, ouink, ouink ! Il y a quelqu'un qui trotte sur la route ! Je vais être en retard au marché ! »

Robinson se dressa et, avec son panier, passa un échalier très étroit, où le sentier croisait la grand-route. Il vit un homme à cheval. C'était Monsieur Soupaulait, sur un cheval alezan à balzanes blanches. Ses deux grands lévriers couraient devant lui ; dans chaque champ devant lequel ils passaient, ils regardaient à travers la barrière. Ils bondirent vers Robinson, dans un élan d'affection. Ils lui léchèrent le visage et lui demandèrent ce qu'il avait dans son panier. Monsieur Soupaulait les appela.

« Ici, Pirate ! Ici, Coursier ! Au pied ! » Il ne voulait pas prendre de risque, à cause des œufs.

La route avait récemment été revêtue de silex tranchants et Monsieur Soupaulait faisait marcher son cheval sur le bas-côté. Il s'adressa à Robinson. C'était un vieil homme sympathique, très affable, au visage tout rouge et à favoris blancs. Tous les champs verts et les terres rouges entre Port-Cochon et Cochonval lui appartenaient.

« Bonjour, bonjour ! Et où vas-tu comme ça, petit cochon Robinson ?

– Avec votre permission, Monsieur Soupaulait, je vais au marché. Ouink, ouink, ouink ! dit Robinson.

– Comment, tout seul ! Et où sont Mesdemoiselles Porcinelle et Porcinette ? Pas malades, j'espère ? »

Robinson lui parla des échaliers trop étroits.

« Vraiment ! Trop grosses, trop grosses ! Comme ça, tu y vas seul. Pourquoi tes tantes n'ont-elles pas un chien pour leurs commissions ? »

À toutes les questions de Monsieur Soupaulait, Robinson

répondit clairement et poliment. Il fit preuve d'intelligence et d'une bonne connaissance des légumes, pour quelqu'un de son âge. Tout en parlant, il trottait presque sous le cheval, regardant de haut en bas la robe alezane et luisante, la large sangle blanche, ainsi que les guêtres et les bottes de cuir brun de Monsieur Soupaulait. Ce dernier apprécia Robinson et lui donna une autre pièce. Arrivé à la partie empierrée de la route, il rassembla les rênes et talonna son cheval.

« Eh bien, bonne journée, petit cochon. Mes respects à tes tantes. Fais attention à toi, à Port-Cochon. » Il siffla ses chiens et partit au trot.

Robinson continua sur la route. Il passa devant un verger où sept cochons maigres et sales foui-naient ; ils n'avaient pas d'anneau d'argent dans le nez, eux ! Il passa le pont de Port-Cochon sans s'ar-rêter pour regarder, par-dessus le parapet, les petits poissons nageant vers l'aval, mais presque immobiles dans le courant paresseux, ni les canards blancs, barbotant parmi les touffes flottantes de renoncules d'eau. Au mou-lin de Styford, il s'arrêta pour transmettre au meu-nier un message de Tante Porcinelle, à propos de farine. La meunière lui donna une pomme.

Dans la maison, derrière le moulin, il y avait un gros chien qui aboyait mais, à la vue de Robinson, le gros chien Gipsy se contenta de lui sourire et de remuer la queue. Divers cabriolets et carrioles le dépassèrent. D'abord de vieux fermiers, qui se retournèrent pour

mieux l'observer. Assis sur le
siège arrière, ils avaient avec
eux deux oies, un sac de
pommes de terre et quelques
choux. Ensuite, une vieille
femme dans une carriole à
âne, avec sept poules et de
longues bottes de rhubarbe
rose, qui avait poussé dans la
paille, sous des barils à
pommes. Ensuite, dans un tin-
tamarre et un cliquetis de
bidons passa le cousin de
Robinson, Tom Cochonnet,

conduisant un poney rouan clair, dans sa voiture de laitier.

Il aurait bien proposé à
Robinson de l'emmener, mais
il allait dans la direction
opposée. En fait, le poney
rouan clair faisait une fugue.

« Ce petit cochon va au
marché ! » cria gaiement Tom
Cochonnet, en disparaissant
bruyamment dans un nuage
de poussière, laissant Robinson seul sur la route.

Robinson continua à suivre
la route, puis passa un échalier dans la haie opposée, où
le sentier passait à nouveau
dans les champs. Pour la première fois, il ressentit une
petite appréhension. En effet,
il y avait des vaches, des bêtes

à la robe luisante, rouge foncé comme la terre de leur région d'origine. La cheftaine du troupeau était une vieille vache vicieuse, avec des boules de cuivre vissées au bout des cornes. Elle observa Robinson d'un œil mauvais. Il traversa le pré de biais et franchit aussi vite qu'il put l'échalier le plus éloigné. Là, un sentier nouvellement tracé contournait un champ de blé en herbe. Quelqu'un tira un coup de feu et, au « bang », Robinson sursauta, cassant l'un des œufs de Tante Porcinelle.

Une nuée de corneilles et de choucas s'éleva du champ, croassant et rouspétant. D'autres bruits se mêlaient à ces cris ; c'étaient ceux de la ville de Port-Cochon, qu'on apercevait déjà à travers les ormes bordant le champ ; le fracas lointain de la gare, le sifflement d'un moteur, le choc des wagons aux aiguillages, la rumeur des ateliers, le bourdonnement de la cité, la sirène d'un vapeur entrant dans le port – et, haut dans le ciel, le cri rauque des mouettes ainsi que le croassement querelleur des corneilles, vieilles et jeunes, dont les colonies se tenaient dans les ormes.

Robinson quitta enfin les prés et se joignit à un flot de paysans qui, à pied ou en carriole, se dirigeaient vers le marché de Port-Cochon.

Chapitre quatre

Port-Cochon est une jolie petite ville, située à l'embouchure de la rivière Cochonelle, dont les eaux paresseuses s'écoulent doucement dans la baie abritée par de hautes falaises rouges. La ville elle-même, sur le flanc de collines descendant vers la mer, semble glisser jusqu'au port, où elle est retenue par les quais et les digues.

Les faubourgs de la ville sont malpropres, ce qui est souvent le cas dans les ports de mer. Ceux de l'Ouest, qui s'étalent largement, sont

surtout habités par des chèvres et par des gens qui s'occupent de fer-
raille, de chiffons, de cordes goudronnées et de filets. On y voit des
chantiers de corderie et du linge qui claque sur des fils branlants, au-
dessus des berges de galets, parsemées d'algues, de coquilles de buc-
cins et de crabes morts – c'est très différent des cordes à linge de tante
Porcinette, tendues au-dessus
des vertes prairies bien propres.

Il y avait aussi des boutiques
d'accessoires de marine, qui vendaient des lunettes d'approche
et des suroîts. Il y avait des
odeurs ; et de curieuses cabanes
en hauteur, ressemblant à des
guérites de sentinelles, où les
filets à harengs étaient suspen-
dus pour sécher ; et on pouvait
entendre des voix fortes venant
de l'intérieur de maisons mal
tenues. C'était probablement le
genre d'endroit où l'on pouvait
rencontrer une bétaillère ! Robinson marchait au milieu de la
route. Par la fenêtre d'un pub,
quelqu'un lui cria : « Toi, le
cochon, viens ici ! » Robinson pressa le pas.

La ville de Port-Cochon elle-même est propre, agréable, pittoresque
et bien policée (toujours à l'exception du port) ; mais elle est en pente
très abrupte. Si Robinson avait posé un œuf en haut de la grand-rue,
celui-ci aurait roulé tout droit jusqu'en bas ; toutefois, il se serait sans
doute cassé contre un seuil ou aurait été écrasé. Il y avait beaucoup de
monde dans les rues, car c'était jour de marché.

En vérité, il était difficile de marcher sans se faire renverser. Chaque
dame que Robinson croisait portait, semblait-il, un panier aussi gros
que le sien. Sur la chaussée, il y avait des marchands de poisson, des

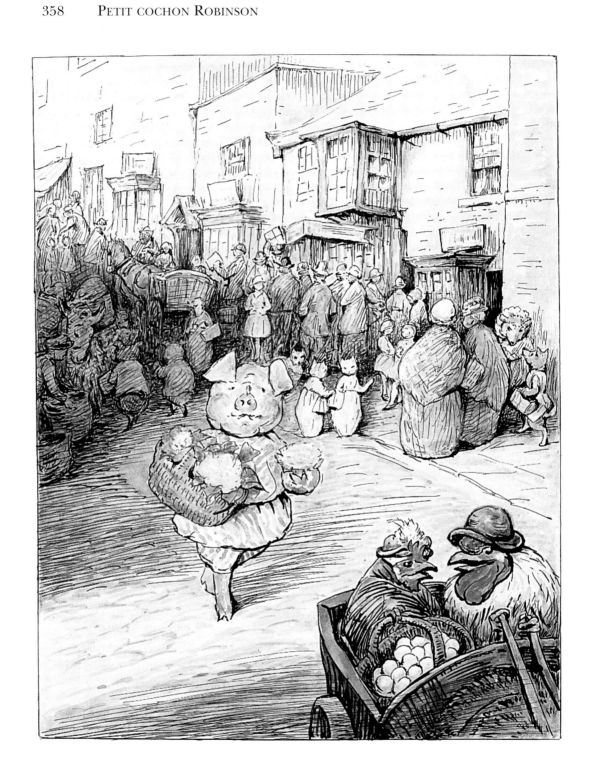

marchands de pommes, des étals de quincaillerie, des coqs et des poules dans des voitures à cheval, des ânes avec des paniers et des fermiers avec des charretées de foin. Et il y avait aussi une file ininterrompue de chariots de charbon remontant des docks. Pour le petit cochon de la campagne, le bruit était assourdissant et effrayant.

Robinson parvint à ne pas se laisser étourdir jusqu'à la rue de l'Avant-Port, où un chien bouvier tentait, avec l'aide de Courtaud et de la moitié des chiens de la ville, de faire entrer trois bœufs dans une cour. Robinson et deux autres petits cochons, portant des paniers d'asperges, s'engouffrèrent dans une ruelle pour se cacher sous un porche, jusqu'à ce que les beuglements et les aboiements aient cessé.

Quand Robinson eut le courage de revenir dans la rue de l'Avant-Port, il décida de suivre de près la queue d'un âne qui transportait un empilement de paniers remplis de brocolis. Il ne fut pas difficile de trouver le chemin du marché. Mais, après tous ces contre-temps, rien d'étonnant à ce que la cloche de l'église sonnât onze heures.

Le marché avait commencé dès dix heures, mais il y avait toujours beaucoup de clients achetant, ou cherchant à acheter, dans la halle couverte. C'était un vaste endroit aéré, lumineux et plaisant, surmonté d'une verrière. C'était bondé, mais on s'y sentait en sécurité, en comparaison de la bousculade et du tapage des rues pavées. On y entendait un bourdonnement fort et continu ; les marchands vantaient leur marchandise ; les clients jouaient

des coudes autour des étals. Des produits laitiers, des légumes, du poisson et des coquillages étaient présentés sur des planches, posées sur
des tréteaux.

Robinson trouva une place au bout d'un étal où Macha Machevrette
vendait des bigorneaux.

« Bi ! Bibi ! Bigorneaux ! Bigorneaux ! Mêêê, mêêê-ê ! » bêlait
Macha.

Comme elle ne vendait que des bigorneaux, elle n'était pas jalouse
des œufs et des primevères de Robinson. Elle ne savait pas pour les
choux-fleurs, car il avait été assez avisé pour les laisser dans le panier,
sous l'étal. Il s'installa à une place libre, fier et plein d'entrain derrière
ses tréteaux, chantonnant :

« Œufs, frais pondus ! Œufs frais pondus ! Qui veut m'acheter mes
œufs et mes jonquilles ?

— Moi, pour sûr, dit un gros chien marron à courte queue.
Mademoiselle Rose m'a envoyé au marché pour acheter des œufs et
du beurre.

— Désolé, je n'ai pas de beurre, Monsieur Courtaud ; mais j'ai de
beaux choux-fleurs », dit Robinson, en présentant son panier, après un
coup d'œil prudent vers Macha Machevrette, qui aurait pu tenter de
les grignoter. Mais elle était occupée à remplir de bigorneaux le pot
d'étain qui lui servait de mesure, pour un client canard en béret écossais. « Ce sont de superbes œufs bruns, sauf un, qui est cassé ; je crois
que ce chat blanc, à l'étal en face, vend du beurre — ce sont de beaux
choux-fleurs.

— Je prends un chou-fleur, mon chou, pour ce petit nez en trompette ; est-ce qu'il les a cultivés lui-même dans son jardin ? dit la vieille
Betty, d'un air affairé ; ses rhumatismes allaient mieux ; elle avait laissé
Suzanne pour garder la maison. Non, mon chou, je n'ai pas besoin
d'œufs, j'ai mes propres poules. Un chou-fleur et un bouquet de jonquilles pour mon vase pique-fleurs, s'il te plaît, dit Betty.

— Ouink, ouink, ouink ! répliqua Robinson.

— Ici, Madame Martin, Venez ici ! Regardez ce petit cochon qui tient
son étal comme un grand !

– Je ne sais trop ! s'exclama Madame Martin, jouant des coudes, suivie de deux petites filles. Jamais vu ça ! Sont-ils bien frais, fiston ? Ils ne vont pas se casser et tacher ma robe du dimanche, comme les œufs avec lesquels Madame Faverolles a eu le premier prix, à la foire des cinq fleurs, jusqu'à ce qu'ils se brisent et tachent la robe de soie noire du juge ? Pas des œufs de canard, colorés avec du café ? Oh, mais il y a des fleurs aussi ! Frais pondus, bien vrais ? Un seul de cassé, tu dis ? Bon, à mon avis, c'est bien honnête ; c'est pas grave, pour frire. Je prends une douzaine d'œufs et un chou-fleur, s'il te plaît. Regarde, Sarah Paulette ! Regarde son nez avec l'anneau en argent. »

Sarah Paulette et son amie s'approchèrent en gloussant, ce qui fit rougir Robinson. Il était si gêné qu'il ne vit pas une dame qui voulait acheter son dernier chou-fleur, jusqu'à ce qu'elle le touchât. Il ne lui restait rien à vendre, sauf son bouquet de primevères. Après d'autres gloussements et quelques chuchotements, les deux petites filles revinrent et achetèrent les primevères. Elles lui donnèrent une pastille de menthe, en plus du sou, que Robinson accepta, mais sans enthousiasme et d'un air préoccupé.

Il était embêté parce que juste après avoir remis le bouquet de primevères, il s'était rendu compte qu'il avait également vendu l'échantillon de laine de Tante Porcinelle. Il se demandait s'il devait le réclamer, mais Madame Martin, Sarah Paulette et l'autre petite fille avaient disparu.

Robinson, ayant tout vendu, sortit du marché couvert en suçant sa pastille de menthe. Beaucoup de gens y entraient encore. Au moment où Robinson prenait l'escalier pour sortir, son panier se prit dans le châle d'une vieille brebis. Alors que Robinson essayait de se dépêtrer,

Courtaud sortit. Il avait fini son marché. Son panier était plein et lourd. Un chien responsable, obligeant et de confiance, ce Courtaud, toujours prêt à rendre service.

Robinson lui demanda comment aller chez Monsieur Lamballe. Courtaud répondit : «Je rentre chez moi par la grand-rue. Viens avec moi, je vais te montrer.

– Ouink, ouink, ouink ! Oh, merci, Courtaud ! » dit Robinson.

Chapitre cinq

Le vieux Monsieur Lamballe était un vieil homme sourd à lunettes, qui vendait de tout. Il avait tout ce que l'on peut imaginer, excepté du jambon – ce que Tante Porcinelle trouvait très bien. C'était le seul magasin de ce type à Port-Cochon où il n'y avait pas, sur le comptoir, un grand plat de chapelets de saucisses fines, claires et peu ragoûtantes, ni de bacon roulé pendu au plafond.

« Quel plaisir, disait Tante Porcinelle avec chaleur, quel plaisir peut-il y avoir à entrer dans une boutique où l'on se cogne la tête contre un jambon ? Un jambon qui peut avoir appartenu à un de vos bons cousins éloignés ? »

C'est pourquoi les tantes achetaient leur sucre, leur thé, leurs sacs de bleu, leur savon, leurs poêles, leurs allumettes et leurs bols chez Monsieur Lamballe.

Il vendait tout cela et bien d'autres choses encore, et ce qu'il n'avait pas en stock, il le commandait. Mais, comme la levure devait être fraîche, il n'en vendait pas. Il conseilla à Robinson d'en demander à la boulangerie. Il dit aussi qu'il était maintenant trop tard en saison pour acheter de la graine de chou. Pour cette année, tout le monde avait terminé ses semis de légumes. Quant à la laine à repriser, il en avait, mais Robinson avait oublié la couleur.

Avec ses sous, ce dernier acheta six délicieux sucres d'orge, et il écouta attentivement les messages de Monsieur Lamballe pour Tante Porcinelle et Tante Porcinette – qu'elles devaient envoyer des choux-fleurs, la semaine d'après, quand la carriole de l'âne serait réparée, que la bouilloire percée n'était pas encore rebouchée et qu'il avait un nouveau fer à repasser à braise, breveté, à recommander à Tante Porcinette.

Robinson dit : « Ouink, ouink, ouink ? », écouta attentivement, et le petit chien Guillot, monté sur un tabouret derrière le comptoir, qui emballait la marchandise dans des sacs de papier bleu, lui chuchota : « Y avait-il des rats, ce printemps, dans la grange de Cochonval-la-Porcherie ? Et qu'allait faire Robinson le samedi après-midi ?

– Ouink, ouink, ouink ! » répondit Robinson.

Ce dernier sortit lourdement chargé de chez Monsieur Lamballe. Le sucre d'orge le réconfortait, mais il était embêté pour la laine à repriser, la levure et les graines de chou. Il regardait de tous côtés d'un air inquiet quand il tomba à nouveau sur la vieille Betty, qui s'exclama :

« Ce gentil petit cochon ! Pas encore rentré à la maison ! Il ne faut pas s'attarder à Port-Cochon, car on risque de se faire voler ! »

Robinson expliqua ses difficultés concernant la laine à repriser.

La bonne Betty s'offrit à l'aider.

« Je me souviens du bout de laine autour du petit bouquet de primevères ; il était de couleur gris-bleu, comme la dernière paire de chaussettes que j'ai tricotée pour Daniel. Viens avec moi à la mercerie – la mercerie de Douce Duvette. Je me rappelle la couleur… et même très bien ! » dit Betty.

Madame Duvette était la brebis qu'avait accrochée Robinson ; elle avait, pour sa part, acheté au marché trois navets, et s'en était retournée tout droit chez elle, de peur de manquer un client pendant que sa boutique était fermée !

Quelle boutique ! Quel fatras ! De la laine de toutes couleurs, de la grosse laine, de la laine fine, de la laine à tricoter, de la laine à tapis, des paquets et des paquets entassés : impossible de poser ses sabots dans ce fouillis. Elle était si désordonnée et si lente à trouver les choses que Betty s'impatienta.

« Non, je ne veux pas de la laine pour des chaussons ; de la laine à repriser, Douce, de la laine à repriser de même couleur que celle que j'ai achetée pour les chaussettes de mon Daniel. Je t'en prie, non, pas d'aiguilles à tricoter ! De la laine à repriser !

– Béé, béé ! Tu as dit blanche ou noire, mmm ? Trois fils, c'est cela ?

– Oh, mon Dieu ! De la laine à repriser grise en carte ; pas de la laine d'Écosse.

– Je sais que j'en ai quelque part, dit Douce, sur un ton plaintif, en mélangeant les pelotes et les écheveaux. Simon Bélier m'a apporté ce matin la laine des jeunes brebis ; ma boutique est en désordre. »

Il fallut une demi-heure pour trouver la laine. Si Betty ne l'avait pas accompagné, Robinson ne l'aurait jamais eu.

« Il est tard, je dois rentrer, dit Betty. Mon Daniel déjeune à terre, aujourd'hui. Si tu veux mon avis, il vaut mieux que tu laisses ce lourd panier aux demoiselles Chardonneret et que tu te dépêches de rentrer avec tes achats. Le chemin est long jusqu'à Cochonval-la-Porcherie. »

Robinson, décidé à suivre le conseil de Betty, se dirigea vers la maison des demoiselles Chardonneret. Sur le chemin, il passa devant un boulanger et se souvint de la levure.

Malheureusement, ce n'était pas vraiment un boulanger. Il y avait une bonne odeur de pain et des gâteaux en vitrine, mais c'était un restaurant, ou une gargote.

Lorsqu'il poussa la porte battante, un homme en tablier, coiffé d'une toque blanche, se retourna et dit : « Salut ! Mais ne dirait-on pas un pâté au cochon qui marche sur ses pattes de derrière ? » et quatre hommes grossiers, assis à une table, se mirent à rire.

Robinson quitta vivement les lieux. Il avait peur d'entrer dans une autre boulangerie. Il regardait tristement une vitrine, dans la rue de l'Avant-Port, quand Courtaud le vit à nouveau. Il avait ramené son panier chez lui et était ressorti pour d'autres commissions. Il prit dans sa gueule le panier de Robinson et emmena celui-ci chez un vrai boulanger, chez qui il avait l'habitude de prendre ses biscuits pour chiens. Robinson acheta enfin la levure de Tante Porcinelle.

Ils cherchèrent en vain de la graine de chou ; on leur dit que seule une petite boutique, tenue par un couple de bergeronnettes, en avait peut-être.

« Dommage, je ne puis aller avec toi, dit Courtaud. Mademoiselle Rose s'est fait une entorse à la cheville ; elle m'a envoyé pour chercher douze timbres-poste et je dois les lui rapporter avant le départ du courrier. N'essaie pas de descendre et de remonter les escaliers avec ce lourd panier ; laisse-le chez les demoiselles Chardonneret. »

Robinson fut plein de reconnaissance pour Courtaud. Les deux demoiselles Chardonneret tenaient un salon de thé et de café fréquenté par Tante Porcinelle et par la gent respectable du marché. Au-dessus de la porte pendait une enseigne ornée d'un petit oiseau vert et dodu, appelé « Au joyeux bouvreuil », qui était aussi le nom de l'établissement. Il y avait une étable où l'âne de la carriole passait le samedi, quand il venait à Port-Cochon avec le linge propre.

Robinson semblait si fatigué que Mademoiselle Chardonneret aînée lui donna une tasse de thé. Mais les deux sœurs lui dirent de la boire rapidement.

« Ouink, ouink, ouink ! Chaud ! » dit Robinson, en se brûlant le nez.

Malgré leur considération pour Tante Porcinelle, les demoiselles Chardonneret la désapprouvèrent d'avoir envoyé Robinson ainsi tout seul. Elles estimèrent que le panier était bien trop lourd pour lui.

« Nous-mêmes ne pouvons le soulever, dit Mademoiselle Chardonneret aînée, en tendant une petite griffe. Va chercher tes graines de chou et rentre vite. Le cabriolet de Simon Bélier est encore dans notre écurie. Si tu reviens avant son départ, il t'emmènera bien volontiers. En tout cas, il fera de la place pour ton panier sous le siège – et il passe par Cochonval-la-Porcherie. Allez, cours maintenant !

– Ouink, ouink, ouink ! dit Robinson.

– À quoi pensaient-elles en le laissant aller seul ? Il ne sera jamais rentré avant la nuit, dit Mademoiselle Chardonneret aînée. Cours à l'écurie, Clara ; dis au poney de Simon Bélier de ne pas partir sans le panier. »

Mademoiselle Chardonneret cadette se hâta dans la cour. Toutes deux étaient des oiselles travailleuses et vives qui, dans leurs boîtes, conservaient non seulement du thé mais aussi du sucre en morceaux et des graines de chardon. Leurs tables et leurs tasses étaient d'une propreté méticuleuse.

Chapitre six

Port-Cochon comptait beaucoup d'auberges ; trop. Les fermiers laissaient en général leurs chevaux au « Taureau Noir » ou au « Cheval et Maréchal-Ferrant » ; les gens de moindre importance allaient « Au Cochon et au sifflet ».

Il y avait une autre auberge appelée la « Couronne et l'ancre », située au coin de la rue de l'Avant-Port. Elle était fréquentée par de nombreux marins, dont quelques-uns se fainéantaient devant la porte, les mains dans les poches. L'un d'eux, en tricot bleu, s'avança nonchalamment sur la rue, observant attentivement Robinson.

Il dit : « Dis donc, petit cochon ! Tu veux une prise ? »

Si Robinson avait un défaut, c'était de ne pouvoir dire « Non » ; pas même à un hérisson voulant voler des œufs. En vérité, une prise, ou fumer, le rendait malade. Mais, au lieu de dire « Non, merci, Monsieur le marin », et de continuer sans se retourner, il traîna les pieds, ferma à demi un œil, pencha la tête d'un côté et grogna.

Le marin tira une boîte à priser en corne et offrit une petite prise à Robinson, qui l'enveloppa dans un morceau de papier, prévoyant de la donner à Tante Porcinelle. Alors, pour ne pas être impoli, il proposa ses sucres d'orge au marin.

Robinson n'appréciait peut-être guère les prises, mais sa nouvelle connaissance n'avait apparemment rien contre les confiseries.

L'homme en mangea une quantité effarante. Ensuite, il tira l'oreille de Robinson et le complimenta ; il lui dit qu'il avait cinq mentons. Il lui promit de le mener à la boutique de graines de chou ; finalement, il le pria de lui accorder l'honneur de lui montrer un bateau effectuant le commerce du gingembre, commandé par le capitaine Barnabé Boucher et baptisé la *Livre de Bougies*.

Robinson n'aima pas beaucoup le nom. Il lui évoquait le suif, le lard, le bacon en tranches et grillé. Mais il se laissa conduire, souriant timidement et marchant sur la pointe des pieds. Si seulement Robinson avait su… que cet homme était un cuistot de bateau !

Alors qu'ils tournaient dans une ruelle conduisant au port, le vieux Monsieur Lamballe, sur le seuil de sa boutique, appela d'un ton inquiet : « Robinson ! Robinson ! » Mais le bruit des voitures couvrit sa voix. Et un client entra à ce moment dans la boutique, détournant son attention, et il oublia la conduite suspecte du marin. Sans quoi, il aurait certainement demandé à son chien Guillot de ramener Robinson. Par la suite, il fut la première personne à donner des renseignements utiles à la police, lorsque Robinson fut porté disparu. Mais il était alors trop tard.

Robinson et son nouvel ami descendirent le long escalier vers le bassin du port – des marches très hautes, inclinées et glissantes. Le petit cochon fut d'abord obligé de sauter, puis le marin le porta gentiment dans ses bras. Ils marchèrent le long du quai en se tenant par la main et ce spectacle amusa beaucoup les gens.

Robinson regardait autour de lui avec grand intérêt. Il avait déjà remarqué cet escalier auparavant, quand il était venu à Port-Cochon dans la carriole à âne, mais il ne s'était jamais aventuré à le descendre parce que les marins étaient des gens assez rudes et qu'il y avait souvent de féroces petits terriers montant la garde autour des navires.

Il y avait tant de bateaux dans le port ! Le bruit et le remue-ménage étaient comparables à ceux du marché. Un gros trois mâts, appelé la *Boucle d'Or*, déchargeait une cargaison d'oranges ; plus loin, un petit brick de cabotage, baptisé *Petit Coucou*, de Bristol, chargeait des balles de laine.

Le vieux Simon Bélier, avec sa clochette autour du cou et ses grandes cornes recourbées, se tenait sur la passerelle, comptant les balles. Chaque fois que la grue effectuait son mouvement tournant et laissait tomber une balle dans la cale, et alors que la corde filait dans la poulie, Simon Bélier inclinait sa vieille tête, déclenchant le « ding, ding, dong » de sa cloche, et émettait un bêlement rauque.

Il connaissait Robinson de vue et aurait dû l'avertir. Il était souvent passé à Cochonval-la-Porcherie alors qu'il conduisait son cabriolet sur le sentier. Mais c'était son œil aveugle qui était tourné vers le quai, et il était troublé et agité par un litige qu'il avait alors avec le commissaire de bord, quant à savoir si trente-cinq ou seulement trente-quatre balles de laine avaient été chargées.

Il consacrait donc son œil valide à la laine, comptant au moyen d'encoches sur un grand bâton (une balle, une encoche) – trente-cinq, trente-six, trente-sept. Il espérait bien avoir le bon compte à la fin.

Son chien de berger, un bobtail, Timothée Fripon, connaissait lui aussi Robinson, mais il était accaparé par l'organisation d'un combat de chiens entre un airedale-terrier appartenant au navire charbonnier, la *Marguerite Gourvennec*, et un chien espagnol de la *Boucle d'Or*. Personne ne prêtait attention à leurs grondements et à leurs aboiements, et les deux protagonistes roulèrent sur le bord du quai et tombèrent à l'eau. Robinson resta près du marin, en lui serrant la main bien fort.

La *Livre de Bougies* était une goélette de bonne taille, fraîchement peinte et décorée de divers pavillons dont Robinson ignorait la signification. Elle était amarrée près de l'extrémité extérieure de la jetée. La marée montait rapidement, léchant les flancs des bateaux et tendant les grosses aussières par lesquelles la *Livre de Bougies* était amarrée au quai.

L'équipage arrimait des marchandises à bord et manœuvrait des cordages sous la direction du capitaine Barnabé Boucher, un marin mince et brun, doté d'une voix grinçante. Il frappait des objets et grommelait ; du quai, on pouvait entendre quelques-unes de ses remarques. Il parlait du remorqueur l'*Hippocampe*… de la marée d'équinoxe, doublée d'un vent du nord-est… du boulanger et des légumes frais… « être embarqué à onze heures pile ; également un rôti de… » Il se tut tout à coup et son œil s'alluma quand il vit le cuistot et Robinson.

Ces deux derniers montèrent à bord sur une planche branlante. Lorsque Robinson fut sur le pont, il se trouva face à face avec un gros chat jaune qui cirait des bottes.

Le chat, sursautant de surprise, laissa tomber sa brosse. Ensuite, il se mit à cligner de l'œil et à faire des grimaces extraordinaires au petit cochon, qui n'avait jamais vu un chat se conduire ainsi et qui se demanda s'il était malade. Le cuistot jeta alors une botte au matou, qui s'enfuit dans les vergues ; il invita ensuite fort aimablement Robinson à descendre dans la cabine, pour y déguster des muffins et des crêpes.

Je ne sais pas combien de muffins a mangés Robinson. Mais il en mangeait encore quand il s'endormit ; et il dormait encore lorsque son tabouret vacilla et qu'il roula sous la table. Un côté de la cabine bascula jusqu'au plafond et l'autre côté bascula jusqu'au sol. Les assiettes se mirent à danser ; il y eut des cris, des coups sourds, un cliquetis de chaîne et d'autres bruits inquiétants.

Robinson, se sentant tout secoué, se releva. Tant bien que mal, il escalada une sorte d'escalier, ou d'échelle, conduisant au pont. Et là, il poussa un chapelet de cris d'horreur ! Tout autour du bateau roulaient de grosses vagues vertes ; le quai semblait maintenant bordé de maisons de poupées et, bien plus loin, au-dessus des falaises rouges et des prairies vertes, il distinguait la ferme de Cochonval-la-Porcherie, pas plus grande qu'un timbre-poste. Le petit carré blanc, dans le verger, n'était autre que la lessive de Tante Porcinelle, mise à blanchir sur l'herbe. Tout près, un remorqueur noir, l'*Hippocampe* fumait, plongeait et roulait. Le câble de remorque, que l'on venait juste de détacher de la *Livre de Bougies*, était en cours d'enroulement.

Le capitaine Barnabé se tenait à la proue de sa goélette ; il hurlait et criait à l'adresse du maître du remorqueur. Les marins criaient aussi et hissaient énergiquement les voiles. Le bateau donnait de la bande et fendait les flots, et il y avait l'odeur de la mer.

Quant à Robinson, il arpentait le pont comme un fou, poussant des hurlements aigus et perçants. Une ou deux fois, il glissa et tomba, car le plancher penchait fortement ; mais cela ne l'empêchait pas de courir. Peu à peu, ses cris se muèrent en un chant, mais il persista à trotter. Et voici ce qu'il chantait :

Pauvre cochonnet Robinson Crusoé !
Oh, comment ont-ils pu faire une pareille chose ?
Ils l'ont envoyé sur les flots, dans un horrible bateau,
Oh, pauvre cochonnet Robinson Crusoé !

Les marins riaient à en pleurer ; cependant, lorsque Robinson eut chanté les mêmes vers environ cinquante fois, et gêné plusieurs d'entre eux en passant entre leurs jambes, ils se mirent en colère. Le cuistot lui-même avait perdu son amabilité. Il se montra même extrêmement grossier. Il dit à Robinson que, s'il n'arrêtait pas de chanter du nez, il le transformerait en côtelettes.

Alors Robinson s'évanouit et tomba de tout son long sur le pont de la *Livre de Bougies*.

Chapitre sept

Il ne faut pas croire que Robinson, à bord, fut maltraité. Au contraire. Il fut même mieux nourri et mieux soigné sur la *Livre de Bougies* qu'il ne l'avait jamais été à Cochonval-la-Porcherie. Aussi, après quelques jours passés à se morfondre pour ses chères vieilles tantes (surtout quand il avait le mal de mer), se sentit-il parfaitement heureux et content. Il acquit ce qu'on appelle le « pied marin » et se mit à galoper sur le pont, jusqu'au moment où il devint trop gros et trop fatigué pour courir.

Le cuistot ne rechignait jamais à lui préparer du porridge. Un sac entier de farine de maïs et un sac de pommes de terre furent même mis à son entière disposition. Il pouvait manger autant qu'il lui plaisait – et cela lui plaisait de manger beaucoup et de s'étendre sur les lattes du pont, chauffées par le soleil. Il devint de plus en plus paresseux au fur et à mesure que le bateau voguait vers le sud, sous un climat plus chaud. Le second en avait fait son chouchou. L'équipage lui donnait des friandises. Le cuistot lui frottait le dos et lui grattait les flancs – mais on ne pouvait plus lui chatouiller les côtes parce qu'il était devenu trop gras. Les seuls qui se refusaient à bien le traiter étaient le matou jaune et le capitaine Barnabé Boucher, qui lui faisaient grise mine.

L'attitude du chat laissait Robinson perplexe. Manifestement, il désapprouvait sa débauche de porridge et il marmonnait de manière énigmatique sur les dangers de la gloutonnerie et sur les désastreuses conséquences du laisser-aller. Mais il n'expliquait pas ce que pouvaient être ces conséquences et, comme il ne prisait ni la farine ni les pommes de terre, Robinson pensa que ces avertissements ne traduisaient que des préjugés. Il n'était pas hostile. Il était lugubre et chagrin.

Le chat, en réalité, était malheureux en amour. Son état d'esprit morose et sinistre était dû, pour une part, à sa séparation d'avec une délicieuse dame hibou. Celle-ci, à plumage blanc et originaire de Laponie, voguait sur un baleinier faisant route vers le Groenland. Alors que la *Livre de Bougies* se dirigeait vers les mers du Sud.

Aussi le chat négligeait-il ses devoirs et était-il en très mauvais termes avec le cuistot. Au lieu de cirer les bottes et de servir de valet au capitaine, il passait ses jours et ses nuits dans le gréement, faisant la sérénade à la lune. Parfois, il descendait sur le pont et faisait des remontrances à Robinson.

Jamais il ne lui dit tout net qu'il ne devait pas tant manger, mais il évoquait fréquemment une mystérieuse date (dont Robinson ne se souvenait jamais), celle de l'anniversaire du capitaine Boucher, célébrée chaque année par un grand festin.

« C'est pourquoi ils mettent de côté des pommes. Les oignons sont fichus : la chaleur les a fait germer. J'ai entendu le capitaine Barnabé dire au cuistot que ce n'était pas grave pour les oignons, dès lors qu'il y avait des pommes pour la sauce. »

Robinson ne l'écoutait pas. Il se trouvait alors avec le chat, sur le bastingage du navire, contemplant un banc de poissons argentés. La mer était d'huile. Le cuistot vint sur le pont pour voir ce que le chat regardait et poussa une exclamation joyeuse à la perspective du pois-

son frais. Pour l'heure, la moitié de l'équipage pêchait. Les
lignes avaient été appâtées avec
des bouts de laine rouge et des
morceaux de biscuit, et le
maître d'équipage eut une
touche sur une ligne appâtée
d'un bouton brillant.

Malheureusement, avec cette
technique du bouton, beaucoup de poissons se décro-
chaient alors qu'on les hissait
sur le pont. Aussi le capitaine
Boucher autorisa-t-il les hommes à mettre à la mer le canot,
qui fut descendu, au moyen
d'un engin métallique appelé
le bossoir, sur les eaux calmes
comme un miroir. Cinq marins
y embarquèrent et le chat y sauta lui aussi : ils pêchèrent des heures
durant. Il n'y avait pas un souffle de vent.

En l'absence du matou, Robinson s'endormit tranquillement sur le
pont brûlant. Mais, plus tard, il fut dérangé par les voix du second et
du cuistot, qui n'étaient pas allés pêcher. Le premier disait :

« Je ne veux pas d'un filet de porc avec des coups de soleil. Réveille-
le, ou alors jette-lui dessus un morceau de voile. J'ai moi-même été
élevé dans une ferme. On ne laissait jamais les cochons dormir en
plein soleil.

– Et pourquoi ? demanda le cuistot.

– Les coups de soleil, répliqua le second. Ça fait comme roussir la
peau ; ça la fait peler. Et ça donne un vilain aspect à la viande rôtie. »

Un lourd morceau de voile sale fut alors jeté sur Robinson, qui se
mit aussitôt à se débattre et à donner des coups de pied, en poussant
des grognements.

« Il vous a entendu, vous croyez ? demanda le cuistot à voix basse.

– Je n'en sais rien ; ne t'en fais pas ; il ne peut pas s'enfuir du bateau, répondit le second, en allumant sa pipe.

– Ça pourrait lui gâter l'appétit ; il mange joliment », dit le second.

Le capitaine Barnabé Boucher se fit alors entendre. Il était venu sur le pont après une sieste dans sa cabine.

« Grimpez au nid de pie, sur le grand mât ; observez l'horizon selon la latitude et la longitude. Il nous faut naviguer dans l'archipel avec la carte et le compas », annonça la voix du capitaine Boucher.

Elle parvint aux oreilles de Robinson, atténuée par la voile mais tout de même péremptoire ; toutefois, ce ton n'impressionna pas le second qui se permettait de contredire le capitaine quand personne d'autre n'écoutait.

« Mes cors sont très dou-
loureux, dit le second.

– Alors, envoyez le chat,
ordonna le capitaine Bar-
nabé.

– Il est dans le canot, il
pêche.

– Rappelez-le, alors, dit
le capitaine, perdant pa-
tience. Il n'a pas ciré mes
bottes de quinze jours. »

Il descendit, en emprun-
tant une échelle, pour
gagner sa cabine où il se
mit de nouveau à calculer
la latitude et la longitude,
pour localiser l'archipel.

« Il faut espérer que sa
mauvaise humeur retombe
avant mardi, ou il n'appré-

ciera pas le porc rôti comme il faut ! » dit le second au cuistot.

Ils gagnèrent l'autre côté du pont pour voir si la pêche avait été
bonne : le canot revenait.

Comme le temps était parfaitement calme, on laissa l'embarcation à la
mer, attachée sous un hublot, à la poupe de la *Livre de Bougies*.

Le chat fut envoyé sur le mât avec une longue-vue ; il y resta quelque
temps. Lorsqu'il redescendit, il rapporta, faussement, qu'il n'y avait
rien en vue. Cette nuit-là, on n'établit pas de garde ni de veille, parce
que la mer était très calme. On supposait que le chat veillait. Le reste
de la compagnie jouait aux cartes.

Mais pas le chat, ni Robinson. Le premier avait remarqué un léger
mouvement sous le morceau de voile. Il trouva le cochon tremblant
de peur et pleurant à chaudes larmes, car il avait entendu toute
la conversation.

« Je crois t'avoir donné suffisamment d'avertissements, dit le chat à Robinson. Pourquoi crois-tu qu'ils t'ont gavé ainsi ? Et ne te mets pas à hurler, petit imbécile ! C'est simple comme bonjour, si tu veux bien écouter et arrêter de pleurer. Tu es plus ou moins capable de ramer. (Robinson était déjà allé à la pêche et avait pris quelques crabes.) Eh bien, tu n'as pas loin à aller ; j'ai vu le haut de l'arbre Bong, sur une île Nord-Nord-Est, lorsque j'étais sur le mât. Les détroits de l'archipel n'ont pas assez de fond pour la *Livre de Bougies* et je vais saborder les autres canots. Viens, et fais ce que je te dis ! » ajouta le chat.

Ce dernier, par amitié désintéressée autant que par ressentiment envers le cuistot et le capitaine Barnabé Boucher, aida Robinson à réunir les divers objets nécessaires. Chaussures, cire à cacheter, couteau, fauteuil, matériel de pêche, chapeau de paille, scie, papier tue-mouches, marmite à pommes de terre, longue-vue, bouilloire, compas, marteau, un baril de farine de blé et un autre de farine de maïs, tonnelet d'eau fraîche, gobelet, théière, clous, seau, tournevis…

« Cela me rappelle ce que je dois faire », dit le chat. Il fit le tour du pont avec une vrille et perça de gros trous dans les trois canots qui restaient à bord de la *Livre de Bougies*.

À ce moment, des bruits inquiétants se firent entendre au-dessous ; c'étaient les marins qui avaient eu une mauvaise main et qui commençaient à se fatiguer des cartes. Le chat fit alors rapidement ses adieux à Robinson et le poussa par-dessus bord, afin qu'il descendît dans le canot le long de la corde. Il détacha alors celle-ci et la jeta dans l'embarcation. Puis il grimpa sur la vergue et fit semblant de dormir.

Robinson trébucha en s'installant sur le banc, aux avirons. Il avait les jambes un peu courtes pour ramer. Dans la cabine, le capitaine Barnabé s'arrêta de distribuer, une carte en l'air, pour écouter (le cuistot en profita pour regarder dans son jeu), puis fit à nouveau claquer les cartes, ce qui masqua le bruit des rames sur la mer immobile.

Après une autre partie, deux marins quittèrent la cabine et montèrent sur le pont. Ils remarquèrent au loin quelque chose qui ressemblait à un gros scarabée noir. L'un d'eux affirma que c'était un énorme cafard, nageant avec ses pattes arrière. Pour le second, c'était un dauphin. Ils se disputèrent bruyamment. Le capitaine Barnabé qui, du fait de la tricherie du cuistot, n'avait pas eu un seul atout, monta lui aussi sur le pont et dit : « Apportez-moi ma longue-vue. »

La longue-vue avait disparu, de même que les chaussures, la cire à cacheter, le compas, la marmite à pommes de terre, le chapeau de paille, le marteau, les clous, le seau, le tournevis et le fauteuil.

« Prenez le canot et allez voir ce que c'est, ordonna le capitaine Boucher.

— C'est très joli, mais supposez que ce soit un dauphin, dit le second, se rebiffant.

— Dieu me pardonne ! Le canot a disparu ! s'exclama un marin.

— Prenez un autre canot, prenez les trois autres canots, c'est ce cochon et ce chat ! tonna le capitaine.

— Non, Monsieur, le chat dort sur la vergue !

— Au diable le chat !

Rattrapez le cochon ! La sauce aux pommes va être perdue ! » hurla le cuistot, trépignant et brandissant un couteau et une fourchette.

Le bossoir fut mis en action et les canots, descendus, avec un sifflement suivi d'un plouf. Tous les marins y dégringolèrent et se mirent à ramer frénétiquement dans un sens… puis dans l'autre, pour regagner au plus vite la *Livre de Bougies.* Car les canots prenaient rapidement l'eau, grâce au chat.

Chapitre huit

Robinson souquait ferme pour s'éloigner de la *Livre de Bougies*. Il tirait fortement sur les avirons, un peu lourds pour lui. Le soleil s'était couché, mais on m'a dit que, sous les tropiques (je n'y suis jamais allée), il y a sur la mer une lumière phosphorescente. Quand Robinson levait les rames, des gouttes d'eau étincelantes tombaient des pelles comme des diamants. Et la lune s'éleva alors au-dessus de l'horizon, comme un grand demi-plat d'argent. S'appuyant un instant sur ses rames, Robinson contempla le navire immobile sous le clair de lune sans une ride. C'est à ce moment (il avait accompli un quart de mile) que les deux matelots vinrent sur le pont et prirent le canot pour un scarabée nageant.

Robinson était trop loin pour voir ou entendre le remue-ménage à bord de la *Livre de Bougies*, mais il se rendit compte que trois canots étaient à sa poursuite.

Involontairement, il se mit à couiner, et rama frénétiquement. Mais avant qu'il ne fût épuisé par l'effort, les trois canots firent demi-tour. Il se rappela alors le chat et sa vrille, et songea que les canots devaient prendre l'eau. Il rama tranquillement, sans hâte, le reste de la nuit. Il ne se sentait nulle envie de dormir et la fraîcheur de l'air était agréable. Le jour suivant fut brûlant, mais Robinson dormit profondément sous

le morceau de voile que le chat avait pris soin de placer dans le canot, pour le cas où le cochon voudrait monter une tente.

Le bateau avait disparu à l'horizon (vous savez que la mer, en réalité, n'est pas plate). D'abord, la coque s'était enfoncée, puis le pont, puis Robinson ne vit plus que le haut des mâts, puis plus rien du tout.

Pour se diriger, il s'était jusque-là orienté sur le bateau. Mais une fois ce point de repère évanoui, il se retourna pour consulter son compas – quand boum, boum, le canot heurta un banc de sable. Heureusement, il ne s'échoua pas.

Robinson, debout dans le canot, poussa avec un aviron pour se dégager, tout en regardant autour de lui. Et ce qu'il vit alors, ce fut le haut de l'arbre Bong !

Une demi-heure plus tard, ses rames l'amenaient sur la plage d'une île vaste et fertile. Il accosta de manière parfaitement réglementaire dans une baie abritée, où un ruisseau d'eau bouillante descendait jusqu'au rivage argenté. La grève était couverte d'huîtres. Des bonbons acidulés et des friandises poussaient sur les arbres. Des ignames (sorte de pommes de terre) abondaient, déjà bouillis. L'arbre à pain donnait des gâteaux glacés et des muffins, cuits à point. Ainsi, un cochon ne risquait pas de se languir du porridge. Et l'arbre Bong dominait l'île.

Si vous voulez une description plus détaillée, il faut lire Robinson Crusoé. L'île de l'arbre Bong ressemblait beaucoup à celle de Crusoé, sans ses inconvénients. Je n'y suis jamais allée moi-même et je me fonde donc sur le récit de la dame hibou et du chat, qui y ont séjourné dix-huit mois plus tard, pour y passer une délicieuse lune de miel. Ils ont adoré le climat – un peu trop chaud toutefois pour la dame hibou.

Par la suite, Robinson a reçu la visite de Courtaud et du petit chien Guillot. Ceux-ci constatèrent qu'il était parfaitement satisfait et en très bonne santé. Il n'avait pas du tout envie de revenir à Port-Cochon. Pour ce que j'en sais, il pourrait bien toujours être sur l'île. Il est devenu de plus en plus gros et de plus en plus gras… et le cuistot ne l'a jamais retrouvé.

FIN

Autres œuvres

Les quatre œuvres de cette section ont été créées par Beatrix à différentes périodes de sa vie. Elles sont fascinantes par elles-mêmes et parce qu'elles révèlent certains aspects du talent artistique de Beatrix Potter.

Lors de la publication de son premier livre, *Pierre Lapin*, Beatrix avait déjà trente-six ans. Auparavant, alors qu'elle vivait encore chez ses parents, elle avait consacré beaucoup de temps à peindre, pour son propre plaisir et pour s'améliorer. Elle s'était intéressée à l'histoire naturelle et ses sujets avaient été, le plus souvent, des études botaniques et des animaux saisis sur le vif. Cependant, elle avait également peint des œuvres d'imagination – des scènes pour illustrer des contes de fées, des fables et des comptines, dont les protagonistes étaient généralement des animaux. En 1890, à presque vingt-six ans, elle avait fait une première tentative pour vendre ses œuvres à un éditeur, afin de gagner un peu d'argent bien à elle (encouragée par son frère qui souhaitait lui voir acheter une presse d'imprimerie). Au cours de la décennie 1890, elle a réussi à vendre des peintures isolées, destinées à illustrer des cartes de vœux et des livres. À cette époque, son style est riche en détails, avec des lignes fines et précises, elle utilise une très petite brosse pour figurer la texture de la fourrure ou de la végétation, et soigne la composition. Les deux séries narratives reproduites ici, demeurées inédites du vivant de Beatrix, sont d'admirables exemples de cette technique miniaturiste.

Lorsqu'elle a commencé à créer ses propres petits livres, avec des histoires écrites par elle-même, son style pictural s'est fait plus libre et plus délié. Beatrix s'est alors montrée très prolifique ; outre tout ce qu'elle a publié, elle a eu beaucoup d'autres idées qu'elle n'a pas eu le temps d'exploiter. Les deux autres histoires de cette section, datées des dernières années de l'auteur, en sont l'exemple puisque seules les illustrations ont été exécutées ; toutefois, elles prouvent l'une et l'autre, chacune à leur manière, que le plus grand talent de Beatrix a été de réussir le mariage heureux du texte et de l'image.

TROIS PETITES SOURIS

C'est en 1890 que Beatrix Potter s'est vu acheter ses premières œuvres, destinées par l'éditeur à l'illustration de cartes de vœux et d'un petit livre. Les années suivantes, elle a elle-même préparé un petit livre, pour la comptine intitulée « Three little mice sat down at spin » (« Trois petites souris coupaient, cousaient »). Elle a illustré chaque vers d'une peinture en couleur. On ne sait si elle a proposé ce travail à un éditeur, mais il n'a jamais été publié. Par la suite, elle a inclus la comptine dans *Le tailleur de Gloucester* et elle a refait l'une des peintures, celle où l'on voit le chat regarder par la fenêtre, pour illustrer Simon épiant les souris en train de filer. Les six œuvres de la série originale, avec leurs effets subtils de lumière et de texture, sont considérées comme faisant partie des plus belles réussites de Beatrix Potter.

Trois petites souris
coupaient, cousaient,

Elles virent un chat
qui les épiait.

« Que faites-vous là ?
leur dit le chat.

– Nous faisons
un habit d'apparat.

– Puis-je venir
vous aider ?

– Sûrement pas,
vous nous mangeriez ! »

Le vieux chat sournois

Beatrix a écrit *Le vieux chat sournois* en 1906, à peu près en même temps que les histoires du *Méchant petit lapin* et de *Mademoiselle Mitoufle*. Comme pour ces dernières, l'éditeur prévoyait un livre en accordéon, destiné aux très jeunes enfants, dont la sortie était probablement prévue en 1907. Cependant, la réticence des libraires à accepter ce type de livre, particulièrement fragile, a entraîné l'abandon du projet. Beatrix a offert le manuscrit original du *Vieux chat sournois* à Nellie Warne, la fille encore très jeune de son éditeur, Harold Warne.

Lorsque les deux premiers livres en accordéon ont été réimprimés en format standard, en 1916, Warne a discuté avec Beatrix l'éventualité pour elle de compléter *Le vieux chat sournois*, afin de le publier en même temps. Cependant, à cette époque, elle s'occupait activement de sa ferme et, en outre, sa vue déclinait, lui rendant difficile la peinture des détails de ses illustrations. « Il est parfaitement hors de question de tenter de le faire en urgence, durant cette période estivale, et sans savoir ce que donneront ces lunettes. » Elle n'a jamais achevé de mettre en couleur ces images, mais telles qu'elles sont, ce sont de très jolis exemples de la vie et de la spontanéité qui caractérisent les croquis préliminaires de Beatrix, et elles ont beaucoup de charme.

C'est un vieux chat sournois
qui invita un rat pour le thé.

C'est un rat en habits
du dimanche qui se présenta
à l'heure dite.
Le thé fut servi dans la cuisine.

« Bonjour, Monsieur Rat.
Donnez-vous la peine de
prendre place, dit le chat.

Moi, je vais manger ma tartine
de beurre, dit le chat, et vous,
Monsieur Rat, vous pourrez manger
les miettes. »

« Drôle de façon de traiter les invités ! »
se dit Monsieur Rat.

« Moi, je vais me servir mon thé,
dit le chat, et vous, Monsieur Rat,
vous pourrez lécher les gouttes
qui resteront dans le pot à lait ;
et ensuite, moi, je prendrai un dessert,
dit le chat.

– Je crois bien que c'est moi
qui vais servir de dessert ;
jamais je n'aurais dû venir ! »
dit ce pauvre Monsieur Rat.

Il renversa le pot à lait pour
tout boire – ce vieux vorace
de chat ! Il ne voulait pas laisser
une seule goutte au rat.

Mais le rat sauta sur la table et,
d'un coup de patte sur le pot,
l'enfonça étroitement sur la tête
du chat.

Le chat, la tête prise dans le pot,
chamboula tout dans la cuisine.

Et le rat, assis sur la table,
but son thé dans une tasse.

Et il mit un muffin
dans un sachet et s'en alla.

Chez lui, il engloutit le muffin
en une seule fois ; fin de l'histoire
pour le rat !

Et le chat, dans la cuisine,
brisa le pot contre le pied de la table ;
fin de l'histoire pour le chat !

LE RENARD
ET LA CIGOGNE

Comme *Le vieux chat sournois*, *Le renard et la cigogne* a pour thème une invitation à prendre le thé, dont les protagonistes ne sont pas dans les meilleurs termes. L'histoire est basée sur une fable d'Ésope et fait partie d'une série de cinq fables que Beatrix a réunies en 1919 sous le titre *The Tale of Jenny Crow*, et qui se voulait une suite de l'histoire de *Petit-Jean des villes*. Malheureusement, son éditeur de l'époque, Fruing Warne, n'a pas été convaincu. Il a estimé que les cinq histoires étaient trop hétéroclites pour faire un petit livre cohérent de la série de Pierre Lapin ; en outre, il a trouvé que l'idée manquait d'originalité : « Ce n'est pas Mademoiselle Potter, c'est Ésope. » Malgré leur volonté de trouver un accord sur le projet, le manque de temps dont disposait Beatrix et sa vue déclinante n'ont pas permis de le faire aboutir. Sur les cinq histoires, *Le renard et la cigogne* était la seule pour laquelle elle avait préparé une série complète d'illustrations.

Selon toute apparence, Maître Cigogne reçoit Monsieur Tod dans le très beau cadre de Kentwell Hall, dans le Suffolk, près de la résidence des cousins de Beatrix, à Melford Hall. Les beaux panneaux lambrissés de chêne, qui recouvrent les murs, l'escalier en colimaçon et les tours de briques rouges soulignent avec humour le caractère nettement moins civilisé de cette bataille de stratagèmes mesquins, se déroulant à l'heure du thé.

« Monsieur, dit Monsieur Tod
à Maître Cigogne, voulez-vous
me faire l'honneur de venir
prendre le thé chez moi ? »
Maître Cigogne acquiesça.
Il accompagna Monsieur Tod
vers son logis. Il marcha
à grandes enjambées
et Monsieur Tod trotta.

Monsieur Tod est un pingre.
À peine avait-il lancé l'invitation
qui l'avait regrettée, en considérant
la taille de Monsieur Cigogne.
Il fit donc un plan. Il annonça
à Monsieur Cigogne : « Lorsque
j'ai des invités, j'utilise le service
à thé de Derby de mon arrière-
grand-mère Renarde. » Et il versa
le thé dans deux soucoupes plates.
Maître Cigogne trempa la pointe
de son bec dans la soucoupe,
mais ne put à peine absorber
une goutte. Bientôt, il s'inclina
et prit congé. Monsieur Tod
lapa alors le thé restant.

Sa conscience lui disant qu'il s'était conduit
de manière mesquine, Monsieur Tod
fut surpris de recevoir une invitation
à déjeuner de Maître Cigogne.
Le message lui fut porté par un vanneau
fort agité.

La demeure de Maître Cigogne
se trouvait au sommet d'une souche
de cheminée, sur le toit d'une ancienne
et grande demeure.

Comme Monsieur Tod n'avait pas
d'ailes pour s'envoler jusque
sur les toits, Maître Cigogne
descendit pour l'accueillir
dans la cour de la maison, afin
de le conduire à l'intérieur
et jusqu'en haut, par un escalier
en colimaçon.

Quand ils atteignirent le grenier,
il y eut une bonne odeur
de bouillon gras ; mais il était servi
dans deux vases à long col.
Maître Cigogne plongea son
long bec dans l'un des vases
et aspira le bouillon. Monsieur Tod
ne put que se pourlécher
les babines et humer.

Bientôt, il se leva et souhaita
le bonjour.
Maître Cigogne tira son bec
du vase vide. C'était
un vieil oiseau silencieux.
Il se contenta de dire :
« Un prêté pour un rendu ! »

LE NOËL
DES LAPINS

Cette série de six peintures a été exécutée par Beatrix Potter au début des années 1890. Il ne s'agit pas d'une histoire, mais de scènes montrant un groupe de lapins célébrant un Noël traditionnel. Beatrix a donné quatre de ces peintures à sa tante, Lucy Roscoe, dont le mari, le scientifique sir Henry Roscoe, l'a aidé dans ses études d'histoire naturelle. Les deux autres, où l'on voit la danse et le jeu de colin-maillard, ont été offertes à un jeune Américain de treize ans, Henry P. Coolidge, qui est venu rendre visite à Beatrix dans sa demeure de la région des Lacs, en 1927.

Ces œuvres sont considérées comme des exemples particulièrement aboutis de l'art de Beatrix. Cependant, à l'époque où celle-ci faisait don des deux restantes au jeune Américain, elle se montrait elle-même fort critique à l'égard de son travail. Autour des pattes avant du lapin aux yeux bandés, on peut encore voir le trait au crayon tracé directement sur la peinture par Beatrix, pour mieux montrer à son petit visiteur que l'anatomie de l'animal était erronée.

Les invités arrivent.

Le dîner est servi.

La danse commence.

Colin-maillard

On grille des pommes
dans l'âtre.

L'heure de se quitter.